Memory
House

虽 则 如 云　　匪 我 思 存

匪我思存

著

FEIWOSICUN
WORKS

09

TOGETHER
FOREVER

佳期如梦之

今生今世

新世界出版社

图书在版编目（CIP）数据

佳期如梦之今生今世/匪我思存著. —北京：新世界出版社，
2011.4（2008.5初版）
ISBN 978-7-80228-695-5
Ⅰ.佳... Ⅱ.匪... Ⅲ.长篇小说-中国-当代 Ⅳ.I247.5

中国版本图书馆CIP数据核字（2008）第066838号

佳期如梦之今生今世

策　　划：北京记忆坊文化
作　　者：匪我思存
责任编辑：杨雪春
特约编辑：四　喜　小　歪
责任印制：李一鸣　蔺善兴
出版发行：新世界出版社
社　　址：北京市西城区百万庄路24号（100037）
总编室电话：（010）68995424（010）68326679（传真）
发行部电话：（010）68995968（010）68998733（传真）
本社中文网址：www.nwp.cn
本社英文网址：www.newworld-press.com
版权部电子信箱：frank@nwp.com.cn
版权部电话：+86（10）68996306
印　　刷：环球印刷（北京）有限公司
经　　销：新华书店
开　　本：880×1230　1/32
字　　数：150千　印张：7.5
版　　次：2011年4月第2版　2011年4月北京第4次印刷
书　　号：ISBN 978-7-80228-695-5
定　　价：26.00元

原来我以为这世上最容易的一件事，就是忘记。
后来我总算明白了，
原来这世上最难的事，才是忘记。

离开爱的日子

【一】

"守守。"阮江西仿佛下了什么决心，终于告诉她，"易长宁回来了。"

守守的脸色比江西预想的要平静很多，过了好一会儿，她才反问了一句："是吗？"

"我昨天在学校遇见他，他回来参加一个研讨会。"阮江西有点唏嘘，"三年了，他好像一点都没变。"

三年——这样漫长，又这样短暂：漫长得仿佛已然天荒地老，所有的前尘往事，不过是漫漫烟尘，扑上来，呛得人没头没脑，呼吸艰难；短暂得却仿佛只是昨天，一切清晰得历历在目，几乎令人无法面对。

三年前她多懒啊，胸无大志。而江西在学校是品学兼优的好学生，什么都要做到最好，事实也确实如此。不管是专业课，还是基础课，甚至连学校最有哄台传统、嘘声四起的"广院之春"晚会上，江西都可以轻而易举地获得雷鸣般的掌声。而她成天混大课、抄作业，阮江西偶尔怒其不争："守守你将来怎么办？"

　　守守笑嘻嘻地说："一毕业就结婚，然后让易长宁养我呗。"

　　阮江西被气得咒她："要是易长宁不要你了呢？"

　　"他怎么会不要我呢？"

　　那样自信满满，却从未想过，会一语成谶。

　　和易长宁分手的时候她风度全无，狼狈不堪，以至于后来守守一想起来，就会自嘲，这辈子也算是泼妇过一回。只是揪着易长宁的衣襟，放声大哭，不管他说什么就是不放手。

　　最后给江西打电话，江西赶来的时候，她还独自坐在那里泣不成声。那样的地方，虽然服务生都目不斜视，但她知道自己丢脸，可是易长宁那般绝情地不顾而去，她还有什么需要顾忌？

　　江西二话没说，拖起她就走，把她塞进车子里，一边开车一边恨铁不成钢似的说："守守，为了一个男人你就这样啊？他不要你了你就这样啊？"

　　而她一句话都说不出来，只会哭，把江西车上的一盒纸巾都哭光了。江西载她回自己的公寓，扔给她一套睡衣，然后说："要哭好好哭，出了浴室，你要再哼一声，我立马把你扔回家去。"

　　那天她在浴室里哭了很久，也许是一个小时，也许是四个小时，因为最后浴缸里的水全冷了。她冻得感冒了，一直没有好，先是发烧，挂了几次点滴，不发烧了，只是咳嗽，断断续续咳嗽了两三个月，又查不出什么大毛病。这一场病，虽然不是什么大病，可是整个人就瘦下去了。

遇见纪南方是在会所大堂，一堆人众星捧月，而他个子高，即使在人堆里也非常抢眼。守守看到他，正犹豫要不要打招呼，他也看见她了，突然停步，"咦"了一声，就说："守守，你怎么瘦成这样？"

一帮人早就哄然大笑，有人说："南方，瞧你把人家小妹妹折磨的。"

也有人认识她，笑着说："你们别瞎扯了，这是南方的妹妹。"

另外有人就叫："南方你还有妹妹啊？是不是叫北方？"

纪南方笑骂那人："滚！"回头向那帮人介绍，"这是叶慎守，我妹妹。"

那帮狐朋狗友都是见多识广的，立刻就有人想起来："慎字辈啊，是叶家人？"更有人半开玩笑半认真地恭维："哟，昨天我们还跟慎宽一块儿打牌呢，没想到他妹妹这么漂亮。"

叶慎宽是她的大堂兄，叶家长房长子，自然交游甚广。一帮人立马集体认下了这妹妹，二话不说拉她一起去骑马。

其实他们人人都带着女伴，纪南方也不例外，是一个艳光四射的女子，漂亮到令守守总觉得眼熟，想来想去，终于想起来好像是选秀出身的某新星，只记不起来她叫什么名字。那女子倒是很落落大方："叶小姐可以叫我可茹。"

这下提醒了守守，终于想起她的名字叫张可茹，于是客客气气称呼她："张小姐。"

只没想过这位张小姐从来没有骑过马，被扶上马背后大呼小叫，只差要哭了，害得骑师教练一头冷汗："张小姐……张小姐……请您放松一下，你这样紧紧抓着缰绳，马会比你更紧张的。"

守守并没觉得好笑，她第一次骑马的时候还很小，根本不知道怕。二伯带她和几个堂兄去军马场，真正的大草原，纵情驰骋，那种无拘无束，只有天高云淡，四野旷阔。呼呼的风声从耳旁掠过，直想叫人放声高歌。事实上她也真的唱歌了，跟几个堂兄一块儿，从《打靶归来》一直唱到《潇洒走一回》，最后连嗓子都吼哑了，可是很快乐，非常的快乐。那种无忧无虑的快乐没有办法形容，也很轻易地渲染了一切。连一向不苟言笑的二伯，也跟他们一块儿唱起"革命军人个个要牢记，三大纪律八项注意"。

纪南方养着一匹十分漂亮的温血马，从马厩牵出来的时候守守只觉得眼前一亮，高大神骏，真正的德国汉诺威。其实纪南方和叶慎宽一样，吃喝玩乐，无一不精，无一不会。就这匹血统恨不得可以算到祖上十八代的名种，就看得守守赞叹不已："前不久我在电视台实习，做一档体育节目，郑重其事地访问了几个马术俱乐部，都没见着这么好的马。"

纪南方只是嘲讽："一个丫头，做什么体育节目？"

守守不服气："有本事你叫奥运会不准女选手参加啊？性别歧视！"

永远是这样，她跟纪南方待一块儿超过半个钟头，就会开始吵架。

小时候他还肯让着她一点，因为她小，又是女孩子，所以他根本不屑跟她吵。等他从国外回来，她也在念大学了，过年的时候他陪他父亲来给她爷爷拜年，长辈们在楼上说话，他跟她几个堂兄在楼下闲聊，偶尔聊到舒马赫，她插了句话，两个人于是卯上了。她口齿伶俐，而他反应迅捷，两人从法拉利车队一直激辩到巴赫《Chaconne》的三十二个对称变奏，犹未分出胜负来。最后还是她另一个堂兄叶慎容忍不住，"哧"的一声笑出来："瞧瞧他们两个，像不像斗鸡？"

叶慎宽哈哈大笑，纪南方不由得也笑起来，但心有不甘。这次辩论不了了之，但第二次重逢，两人不知道为什么事，又开了头，一发不可收拾。从此叶慎宽只要看到她跟纪南方碰一块儿，就会掏出烟盒："你们先吵着，我去抽支烟。"

她一时气结。其实叶慎宽跟纪南方还有他们那群人都永远拿她当小孩子，她刚开始跟易长宁谈恋爱，叶慎宽知道的时候非常意外："丫头，你还小呢。"

她有点气鼓鼓："我马上就十九了，还小什么啊？你十九岁的时候，女朋友都换过好几个了。"

这句话差点没把叶慎宽给噎死，后来叶慎宽对纪南方不胜唏嘘："哎，连守守都开始交男朋友了，我们真是老了。"

"扯淡！"纪南方对当时怀抱美人、杯端醇酒的叶大公子嗤之以鼻，"你不过就比我大两岁，这么早就想着金盆洗手浪子回头？那还不如现在就回家陪媳妇去。"

"你别说，"新婚不久的叶慎宽不无得意，"结婚还是有好处的。为什么？玩起来方便啊，只要你媳妇不说话，老爷子一准睁只眼闭只眼，反正连自己老婆都不吱声，老头还能说啥？所以南方啊，结婚吧，一了百了，这就是结婚的好处。"

纪南方身边也有女人，她于是半嗔半恼，说："哎哟，说出这样的话来，真是坏透了。"

纪南方倒毫无顾虑，捏住她的下巴哈哈大笑："我们这帮人啊，个个都坏透了，你呀，是落入虎口了。"两个人一时笑一时闹，腻成一团。

这天骑马，倒出了小小的意外，张可茹最终还是从马背上摔下来，把脚给扭了。不知有没有伤到骨头，但当时张可茹摔在沙场里，半晌站不起来。

众人都没有在意，连纪南方都只是给司机打了个电话，叫他送张可茹去医院，唯独守守说："我陪她去医院吧。"

这下连张可茹都十分意外，连声说："叶小姐，不用了，我自己去就行，你好好玩，别扫兴。"

"我陪你去。"守守执意。

纪南方也没太放在心上："那你陪她去吧。"随口嘱咐司机，"照顾好叶小姐。"

守守啼笑皆非，明明张可茹才是受伤的那一个。上车之后张可茹有点歉意："真的没必要，这样麻烦你。"

守守倒觉得心中有愧，其实她本意不过是想找个借口开溜而已。就因为这点愧疚感，她很认真地陪张可茹挂号，扶她进电梯，拍完片子后司机帮忙去取，她陪张可茹一块儿坐在长椅上等，结果有护士路过，立刻认出张可茹来，很尽责地发出粉丝的尖叫，然后一堆人围上来，七嘴八舌地要签名。

张可茹没什么架子，笑吟吟地帮他们签名，守守被隔在一堆人外头，她甚少有这样被冷落、被排除在外的时候，不由得觉得有点好笑。其实这张可茹很年轻，比她大不了多少，眉目如画，精致的一张脸，小小的，上镜一定好看。

回去的车上张可茹却皱起眉头来："这下好了，十天半月开不了工，回头公司一定骂死我。"

她很怕她的经纪人，据说是行内最有名的脸酸心硬，捧红无数大牌，所以一呼百应，张可茹怕他怕到要死。张可茹非拉着守守跟她去吃饭："要死也先做个饱死鬼，等我吃饱了再给他打电话，省得他骂得我吃不下饭。"

这样精致漂亮的一个人，发起嗲来更是楚楚动人，守守禁不住她软语央求，陪她一块儿去吃饭。

张可茹是湖南人，吃辣，守守也嗜辣如命，两人对了口味，吃掉一桌子菜。张可茹吸着气，唇色殷红欲滴，嘴角微微一翘，说不出的妩媚好看："真痛快，平常不让我吃，说怕坏嗓子。"

守守一时好奇："连吃都不让随便吃？"

"是啊，也不让吃多了，天天就是沙拉啊水果啊，我上次忍不住吃了一对鸡翅，结果形体教练让我在跑步机上慢跑了整整三小时，哎呀惨死了。"

二十出头的女孩子，到底还有点孩子气，扮了个鬼脸："反正我这次是罪无可恕，索性犯法到底。"

这么一说，守守觉得张可茹其实也蛮有趣的。

她很少跟哥哥们的女伴交往，其实也是家教使然，因为哥哥们的女伴永远只是女伴，从来不会有身份上的改变。

记得几年前叶慎宽曾交过一个女朋友，当时非常的认真，跟家里闹翻，搬出去住。最后的结局仍旧逃不了是分手，那是她第一次看到风度翩翩的大堂兄失态，他其实并没有喝醉，端着茶杯，站在花房兰花架子前，将一杯滚烫的毛尖，随手就泼在那株开得正好的"千手观音"上头。

而他的笑容微带倦意："彩云易散琉璃脆。守守，这世上美好的东西，从来没办法长久。"

当时她大约只有十五六岁，皱着眉头有点愤愤："大哥你太轻易放弃了，真爱是无敌的。"

现在想想，真是幼稚得可笑。

她跟张可茹也并没有深交，隔了两个月，偶尔遇到纪南方又带着张可茹一块儿吃饭，张可茹见着她，忙从手袋里取出几张票，笑着说："上次的事还没谢谢你，这是我的演唱会，就在下星期，捧个场吧。"

守守当然接过去了，她同学朋友多，转手就送了人。

所以张可茹的经纪人赵石给她打电话的时候，守守觉得非常意外。

她的手机号并没有多少人知道，赵石打到她实习的栏目组，然后辗转问到号码。赵石虽然是圈中名人，不过这种过程一定很复杂、很艰难。而他的措辞很客气，也很小心。接到电话之后，她静静地听他讲完，沉默了几秒钟，才说："那么，我去医院看看她。"

其实她真不该蹚这种浑水，但有那么一刻她心软了，因为自己也曾动过这样的傻念头，在易长宁不顾一切而去的那一刹那。

张可茹住在私家医院，她的经纪公司很小心，并没有让传媒发现这件事。守守带了一束花去，张可茹瘦了很多，一张脸更显得只有巴掌大，没有化妆，脸色显得很苍白，看到守守的那一刹那，眼底里只有一片茫然，倒显得有种少女般的稚气。

守守把花插起来，张可茹终于怯怯地问："他还好吗？"

守守整理着花枝，新鲜的红玫瑰，绽放得那样艳丽，那样甜美，可是，明天就会凋谢了。如同大堂兄所说，彩云易散琉璃脆，这世上美好的东西，从来没办法长久。

张可茹见她不说话，有点慌张，问："他是不是生气了？"

守守在椅子上坐下来，凝视着张可茹漂亮的大眼睛，然后叹了口气。

张可茹像只受惊的小兔子，不知道她要说什么。

守守不过把纪南方这么多年的女朋友们描述了一遍，有些是她亲眼见到的，有些是她听说的，有的美得惊人，有的也不怎么美，最长的断断续续跟了纪南方差不多两年，最短的不过两三天。分手的时候也有人哭闹，但纪南方处理得挺漂亮，他出手大方，从来不在钱上头吝啬。

最后张可茹说："谢谢你，我明白了。"她的脸色已经平静下来，如同刚刚睡醒的样子，眼里渐渐浮起悲哀："我知道我这样不应该，可我没有办法。"

守守想起小时候读过的词：

春日游，杏花吹满头。陌上谁家年少？足风流。妾拟将身嫁与，一生休。纵被无情弃，不能羞。

是真的很爱很爱，才会有这种勇气，把一颗真心捧上，任由人践踏。

回家后她给纪南方打了个电话，他那端人声嘈杂，说笑声、洗牌声……热闹非凡，一听就是在牌桌上。守守不知道为什么觉得很生气："纪南方！我有要紧事找你。"

"啊？"他从来没听过她这种口气，一时倒觉得意外。电话里都听得见那边有人嚷："南方，四筒你要不要？"

"不要不要。"他似乎起身，离开牌桌走向安静点的地方，嘈杂的声音渐渐消失了，他还是觉得莫明其妙，"到底什么事？"

"反正是要紧事，"她绷着声音也绷着脸，尽管知道他看不见，可是仍旧气鼓鼓的，"你现在马上出来见我，现在！"

她知道自己有点无理取闹，可是一想到张可茹，她总会想到自己。

这样没有出息，这样没有尊严，可是没有办法，只哀哀地等着那个人转过头来，但偏偏他永远也不再回头了。

【二】

纪南方接完电话走回牌室："我有事，得走了。"

"别介啊，我这手气刚转呢。"陈卓尔第一个叫起来，"什么人啊，这么大能耐，打个电话来就能把你叫走？"

雷宇峥说："谁也别拦着他，一准是办公室打来的，咱爸找他呗，你们瞧瞧他那脸色，《红楼梦》里怎么说来着，'避猫鼠儿一样'。"

叶慎宽笑得直拍桌子："雷二！雷二！咱们认得这么多年，我怎么不知道你还读《红楼梦》，这典故用的，哥哥我服了啊。"

"滚！"纪南方也笑起来，"我一妹妹找我，急事。"

"哟，什么妹妹呀？"叶慎宽揶揄他，"就这么让你放在心坎上，心急火燎的。"

纪南方正没好气："你妹妹找我。"

"守守？"叶慎宽十分意外，"她找你干吗？"

"我怎么知道？电话里发脾气呢。"

"我这妹妹，打小被惯的。"叶慎宽不以为然，"小毛丫头能有什么事？一准又是没事找事。"

话虽这样说，到底纪南方还是去了，约在一间咖啡馆，服务生认得纪南方："叶小姐在那边。"

灯光很暗，东南亚风格的矮几上点着蜡烛，浅浅的陶碟里漂着花瓣，守守正等得无聊，于是用手去捞那花瓣。她的手指纤长，很白，其实叶家人都生得这样白净。纪南方老嘲笑守守的几个堂兄都是小白脸，但她是女孩子，细白柔腻的皮肤，看起来像个瓷娃娃，此时拈起一瓣嫣红，嘟起嘴来，朝花瓣嘘地吹了口气。那雪白的手指被花瓣衬着，仿佛正在消融，有种几乎不能触及的美丽。纪南方想起古人说"指若柔荑",忽然觉得这形容太不靠谱,茅草那样粗糙的东西,怎么会像手指?因为这样纤细柔嫩,仿佛碰一下就会化掉。

而烛光正好倒映在她眼里,一点点飘摇的火光,仿佛幽暗的宝石,熠然一闪。她的眸子迅速地黯淡下去,仿佛埋在灰里的余烬,适才的明亮不过是隔世璀璨。在这一刹那他有点想笑,这小丫头什么时候有了心事,而且还这样郁郁寡欢的。

抬起头来看到他,还是有点孩子似的气鼓鼓:"我等老半天了。"

"大小姐,我从城东赶过来。"他漫不经心地打发服务生,"矿泉水。"

然后摸出烟盒,还没有打开,她已经轻敲了一记桌子:"公众场合,我最讨厌二手烟。"

"你哥不也抽吗?"

她理直气壮:"你又不是我哥。"

"你喝咖啡?"他瞥了她面前的骨瓷杯碟一眼,"小孩子别喝这个,省得晚上睡不着。"

"你才是小孩子呢,"她倒不生气了,"再说我又没做亏心事,怎么会睡不着?"

"哦?"他有意逗她,"那我做什么亏心事了?"

"你自己心里有数。"

这可把他难住了,左想右想,最后还是老实承认:"我真不知道。"

"张可茹。"她提醒他。

"张可茹?她怎么了?"

"她现在在医院里。"

"噢。"这下他明白了，"你替她打抱不平来了？"

顿时觉得好笑，打开烟盒取出一支来，随手在桌上顿了顿，然后点上火，在一片灰色的烟雾迷漫里，他仍旧是那种毫不在意的腔调："你怎么跟她交上朋友了？"

"那你甭管。"守守看着他漫不经心的样子，突然觉得有点灰心，"反正你这样不对。"

"那你说我该怎么样啊？"他忍住笑意，"我最后还送她一套房子，小三百万呢，她要再不满意，那胃口也忒大了。"

"她不是要房子，更不是要你的钱。"

"那她要什么啊？"

"她不是要钱，她就要你。"

"我？"纪南方嗤之以鼻，"她要得起吗？"

守守突然举手就将一整杯咖啡泼向他，纪南方一时没反应过来，褐色的咖啡顺着他的衣领淋淋漓漓往下滴，她有种歇斯底里的失控："凭什么？你凭什么这样说？就是因为她爱你，你就这样践踏她？她真心实意地爱你，不是因为你是什么人，有多少钱，而你凭什么，凭什么就这样说？你懂得什么叫爱情吗？你知道爱一个人是什么样子吗？"她的眼睛在荧荧的烛光中饱含着温热，"她没有做错任何事，她不过就是因为爱上你，所以比你卑微，比你渺小，被你轻蔑，被你看不起，被你不珍惜……"说到这里，她突然迅速地低下头去，过了几秒钟，她重新抬起脸来，"对不起，三哥，我先走了。"

不等他说什么，她已经仓皇得几乎像逃一样，匆匆忙忙抓起手袋就走掉了。

她很少叫他三哥。

还是很小的时候，想要吃巧克力，可是她在换牙，家里人不许她吃。她站在糖果罐前面，看了好一会儿，是真的很想吃，最后才有点怯意地叫他："三哥……"

他当时好像"哼"了一声，有点不屑地抓了两块巧克力给她："别说是我给的。"

在他的记忆里，她一直是个小丫头，跟在叶慎宽、叶慎容还有自己的后头，像个小尾巴，讨人厌，惹他们烦。因为是女孩子，偏偏又要照顾她，麻烦得要命。

是什么时候，小丫头就长大了，而且比以前更麻烦？

他追了出去，她走得很快，就那样一直往前走，疾步往前走，他觉得不对，顾不上开车，快步追上去，终于抓住了她的胳膊："丫头！"

她似乎被吓了一跳，回过头来，竟然是泪流满面。

他也吃了一惊，因为在他的记忆里，她虽然是女孩子，可是并不娇滴滴，相反有一种执拗的倔强，从小到大，他没见她哭过几回。

"守守。"他问，"出什么事了？"

她嘴角微动，仿佛想要说什么，可是最后什么都没有说，只是站在那里，默默流泪。他们站在繁华的街道旁，每一盏路过的车灯都仿佛流星，那样多，那样密，透过模糊的泪光看出去，五颜六色，光怪陆离，就像一条河，泛着灯影光色的河。而她除了掉眼泪，什么都不能做，什么也做不了。

她爱的那个人，已经不顾一切而去，这辈子也不会再回头了。

他那样傲慢，那样狠心，硬生生拉开她的手："叶慎守，我已经不喜欢你了！你别缠着我行不行？"

她没有做错任何事，她不过就是因为爱上他，所以比他卑微，比他渺小，被他轻蔑，被他看不起，被他不珍惜……

她满心欢喜，以为遇上这辈子等了又等的那个人，可是那个人却一举手，就将她推倒在地。如果他不曾爱过她，为什么原先对她那样好，给她希望，给她承诺，到了最后一刹那，却翻脸绝情。把她撇下来，孤零零的一个人，在这城市里，在这世上，从此把她撇下，再不管她。

她哭得像个孩子，气噎声堵，连气都透不过来，只是嚎啕大哭，在这车水马龙的街头。从小她就被教导，女孩子要自重自爱，不管任何场合、任何情况，尤其不能在大庭广众之下失态。可是她受不了，她真的受不了，她第一次爱上一个人，好比小孩子，头一次尝到糖的甜，可不过片刻又被生生夺走。他竟然撇下她，那样残忍地撇下她。

纪南方第一次有点手足无措的感觉，有很多女人在他面前流过眼泪，也有很多女人哭着离开他，可他并没有想过守守会在自己面前哭。在他心里，她不过就是那个倔强的小丫头，其实她现在仍像个孩子，就像孩子一样在哭泣，用尽了全部的力气，哭得连身体都在微微发抖。他想，什么事情会如此痛苦，让这个无忧无虑的小丫头泣不成声？他将自己的手帕给她，可是她不接。已经有路人频频侧目，他问："守守，先到我车上去好不好？"

她只是哭，他半强迫地把她弄到自己车上去，她似乎想要抓住什么，可是什么都没有，所以只抓着自己胸口的衣服，那样用力，他一度误以为，她是想把她自己的心揪出来一般。她哭到蜷成一团，像小小的婴儿，又像是很弱小的什么动物。起先的嚎啕渐渐失了力气，最后只余下呜咽，直哭得嘴唇发紫。他有点担心她会晕过去，只好把她抱起来，像抱小孩子："守守，你别哭了，守守……"

他一声接一声唤她的小名，她全身还在发抖，像小孩子闭住气了，隔了好久，才抽噎一下，抓在自己胸口的手指终于松开了，可是旋即又抓住了他的衣襟，像只小小的无尾熊，软软地趴在那里。他小心地问："我送你回家好不好？"

她的嘴唇仍在哆嗦，终于哽咽着说出一句话来："我不回去。"

"那你先别哭了。"他有点担心，又有点说不出的心烦意乱，"你吃过晚饭没有？我请你吃饭好不好？"

小时候她就嘴馋，长大后依然这样，叶慎宽、叶慎容一得罪她就请她吃饭，他也一样。

"我不要吃饭。"她抽噎了一下，手指仍紧紧抓着他的衣襟。纪南方终于想起来，这还是她五岁时候落下的毛病。那年夏天天气很热，他们在北戴河，一群孩子玩得疯了，连涨潮都忘了。她一个人陷在水深处，眼睁睁看着海浪扑过来，连哭都忘了。最后被救上来的时候，她紧紧抓着大人的衣襟，就像现在这样，半晌都没有缓过气来，更别说哭了。后来只要受到大的惊吓，或者伤心的时候，她总是下意识会抓着人，仿佛即将溺毙的人，有一种绝望的惊恸。

纪南方开车在内环上转了一圈，又问她："我送你回家？"

守守哭得精疲力竭，连脸都是肿的，近乎固执地摇头，只不想回家去。

纪南方没有办法，只好就近下了辅路，将车一直往前开。

守守蜷在后座，觉得有些累了，迷迷糊糊倒想睡了。只合了一会儿眼，纪南方已经把车停下来，轻轻拍着她的脸："守守，醒醒。"他的声音很低，有点像她的大表哥。小时候有次她不听话，被外婆关在琴房里，表哥从窗外给她递零食，就像现在这样，低低地叫她的乳名，偷偷塞给她好吃的曲奇饼。她睡得有点迷糊，睁了睁眼，看到是纪南方，一时不太想说话。

是一幢公寓，他们从地下停车场直接上楼去，私人管家在电梯门口等，中规中矩的英式作派，说的却是中文："纪先生，晚上好。"

守守想起有次去叶慎容那里，私人管家也是站在电梯门口，开口却是英文。她一想到电影里口沫横飞的台词："一口地道的伦敦腔，倍有面子。"就忍不住要笑，只好拼命绷着脸，越忍越忍不住，笑得那管家都有点莫明其妙了，不过专业素质就是专业素质，饶是她笑成那样，仍旧彬彬有礼，报之以礼貌的微笑。

管家替他们开门，复式，很宽敞，客厅一面全是弧形的玻璃窗，足下是灯海一样的城市夜色。

"没多少人来过。"纪南方说，"回去也别告诉我妈有这地方，省得她啰唆。"

她知道，哥哥们也有这种地方。狡兔三窟，偶尔偏要寻个僻静，所以总留着最后一窟不让人知道。

他将盥洗间指给她看，让她去洗了脸。出来后他也已经把被她泼了咖啡的衣服全换掉了，穿了件宽松的套头毛衣，她很少看到他穿成这样，长手长脚，倒有点像学校里的师兄们，显得很年轻，像大男生。她不由得多打量两眼，他只问她："你还没吃饭吧，想吃什么？我给你弄。"

这可把她给震惊了："你？会做饭？"

"你可把我想得太能耐了，"他忍不住笑，"我只会订餐。"

"那我要吃比萨，十二寸的，辣的，咖喱至尊好了。"

"垃圾食品，小孩子。"

"我今年都满二十岁了，马上就二十一了，不是小孩子了。"

这句话真正逗得他大笑起来："哟，都二十岁了。"

她没有力气跟他吵架，狠狠瞪了他一眼，大摇大摆地参观起屋子来。客厅转过走廊是一间视听室，一堆器材搁在那里，她专业多少沾边，放眼望去全是发烧级中的极品，忍不住批评："烧钱！"

"钱挣来就是花的。"他仍旧是那种漫不经心的调子，"不花钱挣钱干吗？"

视听室旁则是偌大的CD室，三面墙从天到地，密密匝匝，眼花缭乱全部是CD，分门别类，放置得整整齐齐。这房子本来就高，架子从地面一直抵到天花板，更显得气势恢弘，看上去像国家图书馆的音像资料室，又像是唱片公司的CD仓库。她随便打量了一下，就看到心爱："这张借我。"

"不行！CD跟老婆不外借。"

"小气！"她气恼，"再说你有老婆吗？等你有了老婆再说这话不迟。"

她跟他一吵架就肚子饿，幸好订餐及时到了。酒店服务生一直送到餐厅，摆好餐具才离开。结果她面前那份是海鲜饭，她不满："我要吃比萨！"

"小孩子乖乖吃饭！"

她拗不过，只好坐下来吃，折腾了大半宿，也确实饿了。海鲜饭很好吃，用料实在，味道也地道。他吃的是牛扒，餐盘旁搁着杯红酒，她不假思索拿起来一仰脖子就喝掉了。

纪南方一怔，她已经喝完了，拿餐巾拭了拭嘴角，乌溜溜的大眼睛只望着他，十分无辜的样子。

"这是82年的Latour。"

"那又怎么样？"

"有你这样牛饮的吗？"

"假洋鬼子，假作派！我为什么非得把舌头卷起来，一点点地啜？"她一边说，一边做了个卷舌头的鬼脸。把舌头真正卷得像小管，又像是一条蛇，小小的，红色的，带着异样的妖艳，或许有点凉凉的果子香气，其实是酒香。纪南方只觉得真像条小蛇，似乎嗖嗖地往人眼睛里钻，尔后又往人心里钻。

他一晚上都有些心浮气躁，到这时候终于忍无可忍："叶慎守，你安静会儿行不行？"

话出了口他又后悔了，但守守并没有放在心上，反倒自以为是笑眯眯地问："你今天打牌输了钱是不是？"

他从鼻子里笑了一声，未置可否。

吃饱了，守守也觉得高兴一点了，无所事事地窝在视听室沙发里，抱着膝看他蹲在地上调试功放。没想到平常最修边幅的纪三公子，还有挃起袖子干活的时候。他低头认真做事，有几缕额发垂下来，并不显得凌乱，反倒看起来顺眼很多，起码守守觉得顺眼很多——她永远觉得哥哥们的朋友太稳重、太无动于衷，个个好似泰山崩于前不色变，多可怕。

"放蔡琴的《被遗忘的时光》。"她跃跃欲试，"看看是不是真的高音甜，中音准，低音劲。"

他头都没抬："要听自己去找。"

她一想到那堆山填海样的CD就头晕："太多了，怎么找啊？"

"C字栏，往右第四格或第五格，都是她的CD。"

她一时娇舌："这么厉害，你都记得？"

他仍旧头都没抬："该记得的东西，我从来都记得。"

【三】

是谁在敲打我窗

是谁在撩动琴弦

那一段被遗忘的时光

渐渐地回升出我心坎

记忆中那欢乐的情景

慢慢地浮现在我的脑海

……

窗外仿佛真的有一点雨声，其实这城市的秋天很少下雨，但窗上有轻微的声音，或许是风。

守守觉得自己快要睡着了，倦倦地望去，墙上全是一方一方金字塔形的吸音棉，像是小时候吃过的一种巧克力，一格一格，凸出小小的尖，入口却是温软的，带着可可脂特有的滑腻香气。

纪南方坐在沙发另一端，点燃一支烟，淡淡的白色烟雾弥散开来，他的眼神有点飘忽。

"你一定是想起旧情人了。"守守微带怜悯，又有点唏嘘的样子，"这首歌真惆怅。"

今天晚上他确实有点沉默，但听到她这样说，他脸上是一种啼笑皆非的样子："你胡说八道什么？"

暖气太暖，她本来趿着他的一双拖鞋，太大，索性褪掉，将脚蜷起来，窝在沙发里："我大哥每次想起那位姐姐，就会听一张黑胶碟，名字叫《Kinderspiele》。他在香港认得她，当时大哥在碟店淘碟，他和那位姐姐同时看中这张，相持不下，连老板都没有办法，最后他开价高，买下来。那位姐姐生气得要命，没想到大哥买下来后，当场就送给了她，两人就这样认识。真浪漫，像电影对不对？"

他掸了掸烟灰，问："后来呢？"

"后来——"她眼珠子一转，"后来的事你都知道。哼！你甭想骗我出卖我大哥，然后再拿这猛料去笑话他。"

他笑了一声："这么轻易就看破我的企图，太没劲了。"

她觉得很安心，像是小时候和哥哥们待在一起的感觉。她十二岁就到英国去，当时陪着她飞越重洋的是叶慎容。他那时也在英国念书，半大不小的两个孩子，在异国他乡真有点相依为命的感觉。虽然物质上丰沛，可是精神上其实很孤独。同学朋友虽然多，在一起也十分热闹，但那是不一样的。其实自幼她父母工作忙，很少会过问她，她有什么烦恼，也都会对哥哥们讲。她父亲排行最末，伯伯们个个又都生的是儿子，只有她父亲生了她这么一个女儿，所以从小哥哥们将她爱护得很好。

蔡琴还在一遍一遍地唱，低沉醇厚的女音："那缓缓飘落的小雨，不停地打在我窗，只有那沉默无语的我，不时地回想过去……"

环绕效果太理想，几乎听得清蔡琴的每一次换气，每一声呼吸，声线如同飘散的小雨，带着些微凉意，渐渐渗入人心底。

守守托着腮，纪南方似乎也走了神，因为他手里的烟灰积了好长一截，都一动未动。

"纪南方……"

"干什么？"

"你真的没有想起谁？"她拉住他的胳膊，轻轻摇了一下，"不会的，不可能的，你一定是想到某个姐姐，所以才会这样发呆。"

"真的没有。"他伸手揉了揉她的头发，"小丫头别胡说八道。"

"别弄乱我的刘海。"她有点不太高兴。原来她一直留长发，前不久终于剪掉了，剪得极短，绒绒的像朵蒲公英。

因为易长宁说过喜欢她长发的样子，所以她就把头发给剪了。

那样赌气，可是有什么用处，易长宁永远也看不到了。

他们听了好几张CD，夜深人静，守守真的倦了，困得眼睛都睁不开。起先还东倒西歪，偶尔跟纪南方说句话，最后渐渐靠在他胳膊上，睡着了。

纪南方有点发怔，她绒绒的头发就贴在他衣服上，软得几乎像朵云，或许伸一伸手，它就会消失殆尽。而她的脸却是真实的，长长的睫毛，像两把弯弯的小扇子。这样一低头，就可以望见黑丝绒似的，一根一根的睫毛。很长，很清晰，像是被谁精心一笔一笔描出来，几乎像假的一样。其实她哭过，洗过脸后又没有化妆，脸上很干净，有一种少女的盈润光泽。他也见过不化妆的女人，但总觉得像是缺了点什么，即使再美的美人仿佛也有点失色。可她这样干净，又这样精致，连呼吸里都带了一点点甜，让他想起她刚刚那个鬼脸，小小的红舌头。

他猛然摇了一下头，突然有种想给自己一巴掌的冲动，不假思索伸手把她摇醒："守守，别睡了，我送你回去。"

她惺忪地睁开眼，看了看腕表，只觉得渴睡："都快三点了……我就在这儿将就一下得了。"

"那不行。"他态度蛮横，"我送你回家，这儿没客房。"

"那我就睡沙发。"

"不行！"

"那我睡你床。"她口齿不清，思维却还清楚，"你睡沙发。"

"不行！"

"你很烦呢。"她嘟囔，将自己往温暖更深处挤了挤，重新睡着了。

醒来的时候脚都有点肿了，因为穿着牛仔裤，睡了整夜，连身都没有翻。

守守想了好一会儿，才想起自己是在哪儿。

纪南方的床很大，其实因为睡房大，足足有五十多平方，依旧是整面的弧形窗，对着空荡荡的天际线。没有窗帘，守守睁开眼就看到窗外那方蓝天，有云慢慢地流过，低得似乎触手可及。

她在床上赖了一会儿才起来。主卧洗盥间也很大，镜子又多，显得有点空荡荡。同卧室一样，主色调是黑与白，看着有点冷清。因为被子太暖，她睡得口干舌燥。洗漱过后下楼去，楼下也很暖，双层玻璃上全是细白的雾气，仿佛蒙着一层抽纱窗帘。而纪南方裹着毯子，一动不动地睡在沙发里。她一时调皮，蹑手蹑脚走到沙发前，然后伸出手，正想要大叫一声，他突然眼睛一睁："你干吗？"

倒把她吓了一大跳，差点没把魂吓掉，直拍胸口："吓死我了。"

"谁叫你不安好心？"他坐起来，扒了扒头发，其实他的头发并不凌乱，但穿着睡衣，多少跟他平常的样子不太一样。守守生气被他吓到，故意鄙夷他："原来男人不打扮也不能见人。"

他没跟她一般见识："你等一下，我洗个澡，换件衣服送你回家。"

她不想回家，叫他送自己去城西，车子停下来后，他看着那幢楼直皱眉："这什么地方？"

"宿舍，台里分的。"

"你不还没毕业吗？"

"我在实习啊，跑来跑去不方便，台里照顾我，就分给我一间。"

他的车太好，已经有路过的邻居在回头看，她急急忙忙要下车："三哥，我走了啊。"

他一句话冲到嘴边打了个滚，及时咽下去。

看她推开车门，他不由得追上一句："你自己小心，照顾好自己。"

不过一句话的工夫，她已经三脚两步跑出老远了，深秋晨曦里，她周身蒙着淡淡的阳光，轻盈跃跳，像一只小鹿般回过头来，清清脆脆地答他："唉！"

大四上半学期，课程已经不多，大家都在实习，很少有人回学校去。下午的时候她去拿几本书，秋天的校园其实很美，法国梧桐的叶子已经发黄，像是一枚枚精心制作的书签，把绿意退尽，只余了秋的脉络。天气有点冷，她只穿了薄薄一件毛衣，走在路上，有些吃力，只觉得冷。

起初她要回国的时候，母亲很生气，父亲更不解，但她就是要回来，最后父母终究让步，附带条件：硕士学位还是出国念。

她其实心里很厌倦，哪怕读到博士又有什么用，既然已经惹父母生气了，索性挑了自己喜欢的专业。父母安排的学校也不去，偏偏选了这样一所大学。校园很小，而且美女如云，她很容易把自己湮没在人堆里。

她没有想过会在这里认识易长宁。

她最小的一位堂兄叶慎宣有个中学同学郑知衡，也在这所大学，只比她高两届，叶慎宣特意打电话拜托他照顾守守，郑知衡二话不说："放心，你妹妹就是我妹妹。"

结果这位郑大哥真的将她照顾得很好，他是学生会主席，风云人物，一呼百应，人人都买他面子。她有这样一位大哥罩着，自打进校门，遇上的最大惊险，不过是在寝室吃糖炒栗子时剥出一条虫子。日子过得平静又快乐，几乎都要闷得发慌了。

这天郑知衡特意来问她："易长宁来学院讲座，你要不要票？"

她问："易长宁是谁？"

看到郑知衡的表情她就觉得心虚，但郑知衡没有笑话她，简明扼要地向她概括形容了一下易长宁这个人。丰功伟绩她从来这耳朵进，那耳朵出，到最后只记得一个字：牛！

其实守守见过的牛人很多，她一位伯父是导弹制导系统领域的权威，半辈子待在实验室和实验场，主持的研究工程全是代号，都属国家机密；她远在美国的一个姨夫是世界著名的指挥家；另一个舅舅则是金融理论专家；她还有个表姐，在华尔街某投行当高管，平日衣冠楚楚，怎么看就一品貌端正的事业女性，业余唯一的爱好是玩滑翔伞，结果玩出个世界纪录来。至于哥哥们的朋友，那更是形形色色，什么样的牛人都有。比如叶慎容一发小是搞互联网的，不到三十岁公司已经在纳斯达克上市，名字闪耀着金光，照片一搜出来一大堆，底下还永远有一票小女生花痴尖叫；再比如叶慎宽有个关系特铁的师兄，居然会八国外语，其中拉丁语与希腊语更牛到在国内首屈一指的地步。

易长宁牛在是科技新贵，他那天演讲的主要内容是数字电视及传播展望，他口才极好，旁征博引，又诙谐幽默，满礼堂的莘莘学子听得津津有味。只有守守时不时打断听得入神的阮江西："为什么现在的科技新贵都这么年轻、这么帅啊？"过了一会儿，又对江西窃窃私语，"西子，为什么这世上有人穿白西服都这样好看？"

江西实在忍无可忍，在纸条上写了"花痴"两个字推给她，守守顿时有"知音少，弦断有谁听"之恨，再不睬江西，目不转睛盯着易长宁的一举一动。真的，白色西服这样令人发憷的衣服，连招摇如叶慎容都轻易不会尝试，而穿在易长宁的身上，竟然直教人想起"白衣胜雪"。而他头发乌黑浓密，一张脸，真真剑眉星目，嘴角微抿向上一勾，便是个明朗如朝阳的笑容。

最后演讲告一段落，主持人上台来。本来主持人是播音主持系的师兄，平常也是挺潇洒、挺周正一人物，但往易长宁身边一站，整个气质都不一样了。

守守想起小时候读《世说新语》，中间有一段："魏明帝使后弟毛曾与夏侯玄共坐，时人谓'蒹葭依玉树'。"顿时觉得古人的形容真是应时应景，看主持人与易长宁站在一起，可不是蒹葭依玉树？

易长宁当然就是那株翩翩玉树。

偏生他今日又穿白，礼堂台上一圈投灯打在他头顶，淡淡金色的光束，将他整个人都笼在其中，有一种近乎虚幻的俊逸。而他微侧着脸，对公众微笑，几乎完美得不近真实。守守心里怦怦地跳，觉得这个人有点眼熟，仿佛从前就见过，其实并没有，但她明白，就是他了。

后来提问时间，照例传纸条上去，各色各式的问题，她都并没有听进去，只心不在焉，托着下巴看着易长宁。

他有不经意的习惯小动作，比如回答某些刁钻的问题前，略一沉吟的时候会微微皱眉，然后眉心就会有细小的纹路。守守发着呆，想，谁会那样幸运，能够伸出手去，抚平他眉心的那细纹呢？

她没有发呆很久，因为主持人念出了一张提问的纸条："易先生，从礼堂目前所采用的、贵公司传送直播信号的LED屏上看，效果的确很清晰。因为甚至可以清楚看到你的眼睫毛那么长，又那么翘，我很想知道，能不能放上去一根铅笔……"

整间礼堂早已经哄堂大笑，不少女生已经笑得东倒西歪，还有人在拍巴掌，也有人拍桌子。这才是学院的传统风气，活泼而古灵精怪，剑走偏锋得恰到好处。

易长宁仍是那种明朗而从容的微笑："这件事我从没有试过，所以不知道答案，我一贯信奉实践才能获知准确结果。"

然后他取出一支银色签字笔，不慌不忙往眼睫上比去。全色彩的LED屏非常清晰，清楚地看到特写，他微闭着眼睛，整间礼堂几乎可以看见每一根睫毛滑过银色笔身，而他的笑容在这一刹那稚气如同天真。

礼堂中爆发出热烈的掌声。

后来某一天，守守终于将易长宁的这支笔据为己有，其实她也有这个牌子的笔，是叶慎宽送她的。叶慎宽一直用这个意大利牌子的特制钢笔，比所谓商务精英人手一支的万宝龙更贵，好处是极少有人认出来。叶大公子的口头禅是，花钱要低调，要花得人看不出来才叫真花钱。

易长宁的这支笔的笔身稍有点粗，她用并不合手，但她就是喜欢。无所事事的时候，就用这支笔写易长宁的名字，易长宁易长宁易长宁……

白色的纸上黑色的字迹，笔笔画画连在一起，易长宁易长宁易长宁……她总想起他举笔比画的那一刹那，而他长长的睫毛痒痒的，轻轻刷过她心底，令人有一种幸福的战栗。

后来阮江西偶尔被守守气到，就会说："易长宁那种青年才俊，怎么就会被你这种人追到手……"

"女追男，隔层纱。"守守不无得意，"只要你奋勇当先，总会到手的。"

其实还是占了近水楼台的便宜，她是校台的记者，本来是刚进校门那会儿，郑知衡替她安排的一闲差，免得她太闷了。演讲结束后，听说要采访易长宁，守守立马积极跟在师兄后头，混进了革命的采访小分队。

师兄们都是去干活的，提前好几天就中规中矩作足了一切采访的准备，只有她浑水摸鱼，名义上是摄影师助手，实际上是去看帅哥的。

易长宁的公司在寸土寸金的CBD，核心商务区的写字楼，气势当然不凡。守守家族长辈们的生意都做得极大，见惯了这种地方，倒没觉得有什么出奇之处。一位姓刘的助理负责接待他们，引他们进入易长宁的办公室，有点歉意地微笑："真不好意思，会议比预期延长了半小时，所以请大家稍等一下，易先生马上就过来。"

采访小组领头的是播音主持系的大师姐姜洁丹，听这位刘助理这样说，连忙笑着说："哪里，是我们比约定的时间来早了。"

师兄们忙着选机位，最后复核一遍采访大纲，话筒试音……只有守守无所事事，于是参观办公室。姜洁丹看守守煞有介事地仰面瞻赏墙上的字画，不由得觉得好笑，低声同她说："现在的海归，都兴把办公室弄得这样古色古香，唯恐人家说他不中国。"

【四】

守守不由得跟师姐一起窃窃私笑。确实如此，不论是装修风格，还是明式风格的桌椅，这办公室都让人觉得古典十足。守守一时好奇，想待会儿易长宁会不会穿一身雪白唐装走进来，举手投足都是儒商气派，想起他白衣胜雪的样子，不由得又垂涎三尺。

负责摄像的师兄嫌办公桌上一只青花笔筒挡住镜头："从下往上摇的时候，这个碍事，不如放到旁边去。"守守打量了一下，又拿起来仔细看了看腹足，笑着说："呦，这个说不定是真正的雍正官窑，满屋子东西，就数这个最值钱，待会儿给它一个镜头得了。"

话音未落，突然觉得师兄们都安静下来，回头一看，竟然是易长宁已经走到了门口。原来今天他穿黑色西服，本来很中规中矩的商务男装，穿在他身上，却格外的庄重，与在学校演讲时判若两人，他站在门口微一凝神，竟然让守守想到一个词"渊停岳峙"。

她有点后悔自己的冒失，吐了吐舌头，乖乖缩到师兄背后去。姜洁丹连忙上前打招呼，向他一一介绍采访小组成员，介绍到守守的时候，简单说了句："这是摄像助理叶慎守。"易长宁照例与她握手，眼底却光芒一闪，仿佛微蕴着某种笑意："叶小姐是真慧眼。"

"哪里，哪里。"她言不由衷地心虚笑着，其实是因为他指尖微凉，握着她的手，却有一种奇异的力量，仿佛那点轻微的凉意，顺着指端，一直蜿蜒至心脏。她脑子里乱哄哄的，还没明白自己在想些什么，他已经放开她的手了。

开机之前姜洁丹先跟易长宁随意聊了聊，主要也是为正式采访作准备，让双方尽快进入角色，这么一聊才知道原来易长宁跟姜洁丹还是小学校友，不过易长宁没毕业就跟父母移民了。姜洁丹于是开玩笑："那您还是我的师兄呢。"

采访很顺利，他们虽然只是校台，但全科班出身，见惯了大场面，专业素质不比任何一个电视台弱。而易长宁年轻有为，对待媒体的经验也非常丰富，宾主双方皆是轻车熟路，访谈过程得很愉悦。

天色已经擦黑，易长宁十分轻松地说："各位既然是姜师妹的师弟师妹，那么也就是我的师弟师妹，今天辛苦了，我请大家吃顿饭吧。"

姜洁丹自然推辞，而易长宁坚持，姜洁丹只好躬了躬身，不无幽默地说："既然大师兄请我们打牙祭，那恭敬不如从命。"

都是年轻人，顿时哈哈大笑，气氛变得活络许多。

那一年正是水煮鱼如火如荼的巅峰，于是易长宁请他们吃川菜。

那家店才开张不久，环境很优美，鱼做得更是又辣又鲜，对于嗜辣如命的守守来说，几乎要欢呼了，吃得那叫个兴高采烈。

姜洁丹长袖擅舞，面面俱到，将席间气氛调动得非常热烈。她先代表采访小组敬了易长宁一杯，没有叫"易总"，也没有叫"易先生",而是沿袭了适才在办公室的话头,将易长宁称为"大师兄",顿时将距离拉近不少。易长宁到底年轻,没有多少架子,片刻工夫跟大家打成一片,端着酒杯嘻嘻哈哈论起年纪,结果守守是理所当然的小师妹。

"小师妹不会喝酒,就敬大师兄一杯吧。"姜洁丹很照应地说,因为按照酒桌上的规矩,要每人敬一圈下来才可以放杯子。

守守当然乖乖听话,捧着杯子,笑眯眯叫了声:"大师兄!"

包厢里天花板上,是所谓"满天星"的密密射灯,光芒璀璨,照着她脂粉不施的一张清水脸,明亮光洁,笑意盈盈的一双眼睛映着灯光,隐隐似有星芒闪动。易长宁心下微微一怔,只觉得这女孩子眼睛真亮,微笑说:"不用客气。"就将杯中酒一饮而尽。

是果酒,甘香醇厚,入喉才微微有些酒意,令人薄醺。

放下酒杯,易长宁才似是不经意地说:"小师妹年纪小,可是眼睛真厉害。"

守守只给他一个标准笑容。

"不过那件青花笔筒,并不是我办公室里最贵的一样东西。"他的眼睛在灯光下黑得似深不可测,"小师妹也许没注意,墙上那幅吴仲圭的《渔趣图》,价值应当远在笔筒之上。"

守守一时想也没想,脱口道:"如果那幅吴镇是真的,当然比笔筒贵。"

话一出口,立刻明白自己有点冒失,有点后悔地咬住舌尖。但易长宁只怔了一下,旋即很轻松地笑起来:"这幅画虽然是从一个朋友手里淘换过来的,不过也请几位熟人看过,都觉得应当是真迹。小师妹虽然年轻,但见识过人,只看了两眼,就断定那是赝品？"

　　话说得这样客气，可当中的揶揄她听得出来，不就是话中有话，嘲笑她一个毛丫头懂什么古董字画。她有点恼，自尊心受损，脸上却笑嘻嘻的："大师兄，要不我们打个赌吧！如果万一是摹本，那大师兄就再请我们打一顿牙祭。如果这幅《渔趣图》是真迹，那我就请大师兄吃饭。"

　　她一派天真烂漫的样子，易长宁想也没想就点了头："好！"

　　她伸出手来晃了晃："击掌为誓！"

　　她的手很白，古人说的肤若凝脂，原来是真的，她掌心温暖细腻，轻轻地拍上去，他都不敢用力。她却很用力，轻脆的掌声三击，然后眼底微蕴着笑意，仿佛是奸计得逞的小狐狸。

　　他本来觉得有十足把握，看到她亮晶晶的眼睛，却忽然有种上当的感觉。

　　本来是件半开玩笑的事情，过了几天，他却十分顶真地将画送到一位研究吴镇字画的权威鉴赏家那里去，也许是觉得这小丫头太狂妄，也许只是为了好玩，让她请自己吃一顿饭，也是件有趣的事情。但结果出来，却让他有点傻眼。

　　那个小毛丫头竟然没说错，这幅他花了重金收购的《渔趣图》，竟然真的是摹本。

　　"真是样好东西，虽然不是真迹……"那位鉴赏家拿着放大镜，反反复复看了好几个小时，最后才下了定论，十分赞叹地一寸寸细赏，"应该是清代的摹本，你看看这印章，印下留红，做得多漂亮，还有这题款……真是可以乱真……"一时竟爱不释手，"要不是我研究了三十多年的吴仲圭，只怕也要被唬过去。"

他脱口想问，有没有可能一个在念大学的毛丫头，就能一眼看出来这是赝品，最后想了想，还是将这句话咽了下去。

省得吐血。

给守守打电话之前，他还犹豫了一下，该用什么样的口气，什么样的措辞，才会不塌面子。谁知打电话过去，她只欢呼了一声："大师兄你真的请我吃饭啊？那我要吃鱼！水煮鱼！"

易长宁一时有点哑然失笑，自己在商场里翻滚得久了，将人心都想得太深沉、太复杂，而她根本没有多想，只以为是个简单的打赌而已。

"可是师姐他们都不在，去西安做节目了。"她无限惋惜地说，"要好几天才能回来呢。"

"没关系，我先请你好了。等他们回来，再一块儿吃顿饭。"

"好啊。"她很高兴，"那我占便宜，可以吃两顿。"

听着很嘴馋的样子，其实她的吃相很好，吃得香，但不贪婪，许多细微的地方都可以看出家教，这女孩子出身一定很好。他微笑着看她吃鱼，像只小猫，很轻巧。

她被他看得有点不好意思，喝了口果汁："这鱼都被我吃了。"

他说："没关系，我更喜欢牛肉。"

这家店的招牌菜除了鱼，便是江石肥牛，她却一点也不沾。

她说："有次我四哥带我去吃私房菜，跟这个差不多，不过是石锅，烧得滚烫拿上来，肉有点白，片得很薄……"说到这里，却想起什么似的，戛然而止，只说，"反正以后我就不吃这种菜了。"

他忍不住问："是什么肉？"

她有点沮丧："我不想说。"

她这样子更像一只小猫，他心里有点痒痒的，或许只是想知道到底是什么肉。她有点歉意："我第二天知道后，气得足足半个月没理我四哥，都有心理阴影。太残忍了，后来我一想到，就觉得难受，所以不想说了。"

他想了想，问："是不是猫肉？"

她掩口惊叫："啊呀！你怎么知道？"

一双眼睛微带点怯意，叫人心里一动。

那天他们说了很多话，从胡同里的各色私房菜一直聊到瓷器，他这才发现她对青花瓷器知之甚详，年纪轻轻的女孩子，能有这种见识，令他觉得罕异。

"我姥爷很早就开始收藏青花，表哥们都不爱这个，只有我喜欢问东问西，姥爷很喜欢，所以常跟我讲讲。"

原来如此，可他想起那幅吴镇的《渔趣图》，还是佩服得五体投地："那幅画，专家说一般人根本认不出来，能认得出来的，功力都在三十年往上了。小师妹，你真是犀利。"

她脸都红了："其实我真的对字画一窍不通，要是换一幅，我根本就不知道是真的是假的了。"

他十分诧异地看着她。

她十分老实地告诉他："我之所以知道那幅画是摹本，是因为这幅《渔趣图》的真迹，一直就挂在我姥爷的书房里，挂了都快二十年了。"

他怔了一下，终于哈哈大笑，笑得连她都跟着笑起来。她笑起来很好看，一口雪白整齐的牙齿，双颊还洇着一点点被火锅蒸腾出的晕红，仿佛一朵睡莲。

他有好多年都没有那样笑过了，只觉得畅快淋漓。

后来在情人节的时候，他送给她一枚图章，朱圆细文，开玩笑似的刻着四个小篆："火眼金睛"。明明骂她是猴子，于是她故意拖长了声音："大师兄——孙悟空——你才是猴子呢！"

他说："我是大师兄，你就是小猴子。"

亲昵地捏着她的脸颊："你就是我的小猴子。"

那个时候两个人是真的好，好到如胶似漆，即使没有机会见面，不是打电话就是MSN。她下了课就开电脑，他有时不在线，她确实无聊，就一遍遍地打："悟空……悟空……"

再不然就是："大师兄……大师兄……"

过一会儿他开完了会，或者从机场出来，一上线见着了，就会答："呆子，八戒，我回来了。"

后来他替她注册他公司的员工BBS，用的昵称就是"八戒"。

本来外网不能访问员工BBS，他特意在自己的电脑上装了一个软件，设置成代理服务器，然后她就可以远程登陆了。她看到这昵称差点吐血，死活不依："我才不用呢。"

他难得幸灾乐祸，抱着手臂："就只这个ID，密码是我生日，你爱用就用，不用拉倒。"

她没记住他的生日，他因此记了仇，特意把密码都设成了自己生日，这小气的男人。她实在是想登陆，只好委委屈屈用上了。因为总有他公司的年轻女员工在BBS上犯"花痴"，她偶然在他笔记本上看到一次，当即就下了决心一定要注册论坛，以便天天去侦察"敌情"。

BBS上有人专门发帖子，统计偶遇易长宁的次数。有人满天欢喜地上来炫耀："上午在28楼走廊里遇到了易生，好帅！"

还有人爆料："刚刚看到易生今天的领带是小圆点变形虫，

配灰色西服真是极品！"

她看得大乐，将这些帖子翻给易长宁看。其实他带点美国作派，底下的高层主管又差不多全是他从美国带回来的原班人马，都是些年轻人，整个企业文化都偏自由活泼，所以女员工才会公然在BBS上对老板流口水。

分手之后，他回去美国，她的浏览器主页仍没有改，每次打开，都是他公司的网站。没有别的希望，哪怕只是看一看与他有关的网页，亦是好的。熟悉的LOGO，整页的商务讯息，偶尔会提到他的名字，每次看到"易长宁"三个字，或者"Cheney Yi"，她总会怔忡良久，老是习惯地去点右上角的BBS，却永远都是"叮"的一响。

一遍遍地点击，耳边总是系统拒绝音，一遍遍弹出那个小框："对不起，你没有权限要求此页面。"

他应该早就卸载了那个代理软件，斩断他们之间最后的一丝联系，如此的残忍，一把推开她，然后永远地任她流落在外，徘徊无门。

这天她从学校回来，就接到电话，第二天安排出差。虽然是实习生，主任却很照顾她，但她主动请缨，要求跟栏目组跑外勤，因为怕自己闲下来。和易长宁分手的这几个月以来，她一旦闲下来，就会觉得难受。

周一跟着栏目组出去，通常回来的时候已经是周末了，日子混得特别快，人也累，经常回家倒头就睡，少了许多烦恼。

不过也有例外，这天栏目组从深圳回来，出机场天色已近黄昏，头儿在车上就说："今儿晚上有人替咱们接风，就是万腾的万总，非得请咱们吃饭，我在电话里推都推不掉。"

一提到万总，摄影师小孙头一个忍不住，激动得都有点语无伦次了："那个诗，是不是那个写诗的万总啊？"

"可不是！"头儿说，"这算集体活动啊，谁也不许请假。兄弟们，有福同享，如今有难，也得同当。"

车里几个人顿时都乐了，前俯后仰笑成一片。"哎，上次采访万总你没去，真是经典。"小孙眉飞色舞地对守守说，"万总一出场就说：'你们别看我是生意人，其实我有一颗文学的心。'然后手一挥，叫秘书送咱们每人一本他的诗集。你还甭说，那诗集做得叫漂亮，全进口铜版纸，烫金封面，封底还嵌着一枚万腾集团纪念币。请全国文联副主席替他写的序，据说限量印刷三万本，一般人他都不送……"

守守有点心不在焉地笑着，听着同事们嘻嘻哈哈讲笑话。暮霭沉沉，路灯一盏盏点亮，仿佛谁随手撒下无数条珠链，串亮整个城市，正是夜色明媚、鲜妍初绽。

万总订了一个豪华大包，不仅派了秘书专门在大堂等着，自己也亲自站在包厢门口迎接，倒真是热情得不得了。组长向他介绍："这是我们组的实习生小叶。"其实刚下飞机，风尘仆仆，守守在车上随便加了件白色抓绒外套，脚上也是一双白色休闲平底鞋，她又是一头绒绒的短发，模样倒似个高中生，眉目更清淡似一朵白莲。很有礼貌地叫了一声："万总。"那万总顿时觉得眼前一亮，握着她的手说："别客气，别客气，我叫万宏达，气势宏伟的宏，飞黄腾达的达，叫我万总就太见外了。"

守守有轻微的洁癖，被这么个人握着手，别提有多别扭了，幸好头儿在一旁说："我们进去说话，万总，先进去说话吧。"

万宏达这才撒了手。幸好订的是一个豪华大包，桌子很大，守守特意挑了离万宏达最远的位置，坐到小孙旁边去。那万宏达到底也算是见过场面的人，见了这情形，并不以为意。席间讲起自己的发家史来，更是红光满面，滔滔不绝。

【五】

守守是真饿了，在飞机上午餐没有吃。这间餐厅的野鸭炖建莲和瑶柱花胶羹她向来都很喜欢，因为离宿舍太远，她自己很少过来吃。今天席间正好有这两个菜，所以她一言不发，只管自己吃自己的，对万宏达的高谈阔论充耳不闻。结果那位万总偏偏不识趣："叶小姐很沉默啊，是不是跟我们这样的生意人没有共同语言，嫌我们太俗？"

她出于礼貌笑笑："哪里，万总见识渊博，我年轻识浅，插不上什么话。"

她这么一说，万宏达当真是心花怒放，顿时兴致勃勃："叶小姐平时喜欢什么运动？明天是星期六，不如我请大家去打高尔夫。如今我公司代理了一个国际著名的高尔夫用具品牌，所以本市几个高尔夫球场我都是常客，我还是XX俱乐部的会员。不知道叶小姐平常喜欢在哪个球场打球？"

"谢谢，我不太会。"

"没关系，像叶小姐这样的聪明人，包管一学就会。高尔夫是时尚运动，叶小姐这么时髦的人，不会打球可真是一种遗憾。"

守守终于粲然一笑："是吗？"

包房中灯火辉煌，她这般盈盈一笑，双眸直如宝石般流光溢彩，看得那万宏达心飘神摇，几难自持。起初觉得这小实习生虽然年轻漂亮，不过有点孩子气，脸色又清冷，一副拒人于千里之外的模样，没想到笑起来如此明媚动人。他素来财大气粗惯了，从来没觉得追女人有什么难度，顿时踌躇满志。

吃完了饭万总果然提议去打灯光球场，被头儿婉拒："万总，您看看，我们都是刚下飞机，在外头好几天了，风尘仆仆的。您说要给我们洗尘，盛情难却，我们一出机场就奔这儿来了，现在酒足饭饱，也该回家洗澡睡觉了。下次，下次一定领略万总的球技！"

万总这才哈哈一笑，说："好！好！下次一定！"

守守第二天就把这人给忘了，所以过了半个月，栏目组应邀去某高尔夫球场做一档节目，头儿说："这万总还真是上心，说请咱们打球，竟然还真被他鼓捣成了。"

她一时都没想起来是哪个万总，到了球场后见到一身白色球衣的万宏达，才想起来原来是这个万总啊。

万宏达今天打扮得很精神，穿了一身雪白球衣，头戴一顶白色球帽，更显得红光满面。守守这次学乖了，跟在同事的后头，只冲他礼貌地笑笑。万总倒没把握不握手放在心上，笑眯眯地说："叶小姐，这里是本市最贵的高尔夫俱乐部，你别看这里看不到几个人打球，那是因为会员都是非富则贵。"

守守心想，人少是因为这种季节都快封场了，谁还来吹冷风？像叶慎宽那么懒的人，一过十月，偶尔动了打球的念头，也改去珠海或三亚，在温暖的南中国海岸挥杆了。至于作派更奢侈的，都直接飞皇家墨尔本了。

不过深秋的球场风景十分漂亮，高大的枫树、槭树、栌树、银杏……叶子红得像火，黄得似扇，层林尽染，静水云天，连沙坑都在一片秋林环衬下显得似澄金。

高尔夫这两年确实是时髦运动，栏目组的同事们差不多人人都练过几杆，在练习场就跃跃欲试，只有守守懒得动，独自留在会所喝茶。

一杯花果茶还没有喝完，万总却回来了："叶小姐怎么不下场玩玩？"

"我不太会。"

"没关系，我可以教你。"万总笑眯眯拖开椅子坐下来，"我水平虽然不高，也打了两年了。打球真的很简单，真的。"

守守眼底微蕴着一点笑意："是吗？"

万总被她这一笑都笑得有点目眩神迷，不由得脑门发热，说道："要不这样，我和叶小姐打个小小的赌，比如三杆的洞，只要叶小姐今天十杆内能打一个球上果岭，我就请叶小姐吃饭，如果今天叶小姐一个球也打不上去，叶小姐就请我吃饭。"

守守想到跟易长宁的那次赌约，连眼眶都红了，心下盛怒，想，凭你也想学易长宁？脸上却是笑靥如花："好啊，不过您这不是摆明了欺负人么？您财大气粗，只叫您请我吃顿饭，太便宜您了，不如我们赌点更直接的，小赌怡情嘛。"

她语气似乎透着怯意，两颊红红的，仿佛是不太好意思。这种娇俏的小女儿态，看得万宏达晕头转向，只会笑了："那你说赌什么？"

守守说："您说赌什么，我们就赌什么。"

万宏达把大腿一拍，说："爽快！我就喜欢叶小姐这样的爽快人。这样，三杆的洞，只要你十杆内把球打到果岭上，我就输叶小姐两万块，少一杆，我就再输两万。要是叶小姐打出一个标准杆，我再输叶小姐十万，不过，多打一杆你就少赢两万哦！"

心想这妮子年纪轻轻，又刚从校门出来，就算有机会练过几天高尔夫，女孩子通常力量不够，七八杆能打上果岭就相当不错了，今天拼了花上十万块，博红颜一笑，也是值得的。

守守一双黑溜溜的大眼睛，认真地看着他，有点孩子气地问："那我要是输了呢？"

"只要叶小姐答应我一个约会就可以了。"

"那不公平。"守守嘟起嘴来，"我要是老打不上果岭，就输定了。要不您让我多打几个洞，我听人说，打球有四洞赛，我们赌四个洞好不好？"

万总心里一乐，只有四球比洞赛或四球比杆赛，哪有四洞赛，这叶小姐果然是外行。不过等她把四个三杆洞打完，只怕天都黑了，于是说："行，不过输一个洞，叶小姐就得答应我一个约会，如果叶小姐四洞皆输，可要答应我四个约会哦！"

守守抿嘴一笑："好。"

万总于是非常高兴地叫过服务生，替她挑了球童，租了整套的球具，一起去球场。

守守今天倒穿了一身红，站在草地上，秋深阳光下仿佛小小一团火焰，也不等球童动手，自己从球袋里抽了根球杆，拿在手里比画了比画，越发像个小孩子，仿佛跃跃欲试。万宏达忍住笑告诉她："这是推杆，开球通常用1号杆。"

"哦？"她认真看了看，"哪根是1号杆？"

球童也仿佛有点忍俊不禁，将1号杆抽出来递给她，她拿在手里试了试，做了一个挥杆的动作，倒挺有模有样。万宏达不由得夸了句："不错！"

守守摆好了姿势，又抬头看了看："今天是东南风。"还没等万宏达想明白她这句话是什么意思，她已经非常流利地一杆挥出，动作竟比职业选手更娴熟洒脱，姿势更是优美，整个人仿佛一道光焰，瞬息间明艳无比。万总看得睁大了眼睛，她只管笑：

"万总，看球啊！"

小小白球正越空而去，穿过秋季湛蓝的天空，画出漂亮的弧线，最后稳稳落在果岭上，离洞不过20码左右，看得球童都忍不住鼓掌："漂亮！"

守守伸出根手指，调皮地摇了摇："万总，一杆上果岭，我少打了九杆，每杆两万块，一共十八万哦。"

万宏达还没回过神来，只得笑了一笑。等走到果岭上，她以漂亮的姿势一杆推球进洞，他笑得就更勉强了。

守守还是一脸孩子气的天真笑容："逮到只小鸟，你说打出par就再加十万块，我虽然少打了一杆，但事先没约定，我也不好意思跟万总您计较，还是算十万吧，那么这个洞一共二十八万。"

万宏达听她这样说，终于明白自己是中了圈套了，没想到这妮子年纪轻轻，竟然有这样的水平。四个洞打完，他输掉整整一百零八万，因为其中有个洞守守两杆才打上果岭，还有一个洞比标准杆多打了一杆，她吐了吐舌头："这套杆用着不太称手，所以多打了一杆。幸好一杆才两万块，对不对万总？"

看着万宏达的脸色从白转红，又从红转白，这么冷的天气，竟然一头大汗，守守正在暗自好笑的时候，后脑勺上突然挨了重重一弹指。

回头一看，竟然是纪南方，上次从他公寓出来后，一直没见过他了。难得今天他也穿白，白色的球衣，倒真有那么几分浊世翩翩佳公子的模样。却不理会守守，只将万宏达上上下下打量了一番，才转过脸来问她："你在这儿干吗？"

后脑勺还在隐隐作痛，她没好气："打球啊。"

"哟，那可真稀罕，都多少年没看到你打球了。当年青少赛拿冠军后，你不是就嚷嚷金盆洗手退隐江湖吗？"他看看球袋，问，"你自己的球杆呢？"

"没带。"她怕他知道前因后果要挨骂，赶紧问，"天气这么冷，怎么有兴致来打球？"

夕阳正好照在他脸上，光线令他微微眯起眼睛，仿佛有点不悦："我乐意不行啊？"

她一偏头就看清他身后不远处，不仅站着球童，还站着一个女孩子，跟他平常带的女伴不太一样，虽然模样仍旧很漂亮，不过很年轻，长头发，大眼睛，穿着球衣青春洋溢，仿佛还是个大学生。

她不怀好意地笑："纪南方，你最近品味变了？这么冷的天跑出来，原来是心甘情愿替人当教练……"

话音未落头上又挨了一记爆栗，她拿手捂住额角，抱怨："很疼呢，你恼羞成怒也别下这样的狠手啊。"

他"哼"了一声，说："你少在这里恶人先告状，看我不告诉你哥。"又看了万宏达一眼，才对守守说，"瞧瞧你最近都跟什么乱七八糟的人来往，回头让你哥知道一定骂你。"

万宏达本来输得肉痛，兀自没回过神来，又陡然冒出这么个人来，跟守守动手动脚，神色亲昵。心中正不爽到了极点，待听到他话里有话，更是火上浇油，一口恶气正好发作出来："谁是乱七八糟的人？你他妈骂谁呢？"

纪南方这辈子还没被人这么呛过，听他出口伤人，愣了一下才说："就骂你，怎么着？"

"怎么着？你丫活腻了是不是？"

纪南方哈哈大笑："好！好！我还真是活腻了。"

守守见他不怒反笑，连说两个"好"字，知道大事不妙，纪南方的脾气手段她都是知道的，只怕这万总要倒大霉了。这个万宏达虽然有点色迷迷讨人厌，但也没犯什么大错，而且说到底是因为自己才惹到纪南方，所以她当机立断，拖了纪南方走："我饿了，我们吃饭去，今天你请我吃饭好不好？"

她用力拽纪南方的衣袖，纪南方都纹丝不动，她愁眉苦脸："三哥！"拉着他胳膊肘又摇又晃，"三哥，我真饿了，我胃疼！"

纪南方这才终于瞥了她一眼："活该！穿得这么单薄上球场来吹风，不胃疼才怪！"

"我想吃鲨鱼骨云吞。"她拽着他往外走，"上次那家就很好吃，你有没有带司机来？我们今天再去。"还不忘招呼他带来的女孩子，"姐姐！我们一起去吃饭。"

纪南方怒意未消："连人家名字都不知道，叫什么姐姐？"

"行了行了！"守守改推他，"走吧走吧。"连哄带骗把他弄上了电瓶车，三人一块儿坐车出了场子。守守于是给栏目组组长打了个电话，说自己不舒服想先走，组长当然满口答应。

见她挂了电话，纪南方就问："你刚说你们是来录节目的，你怎么又跟那种人打球？你们台拿你当公关使唤啊？那人到底是干吗的？"

守守心想多说无益，他要是在哥哥们面前告自己一状，自己又得挨训。看到他的司机已经把车开过来了，却是一部半新不旧的黑色奔驰，不由得好笑："怎么突然艰苦朴素了？你那新的SLR小跑呢？"

"老头这两天正寻我晦气呢，我还弄几百万的车招摇过市，万一传到他耳朵里去，那不是找抽么？"

她觉得好笑："你又干什么坏事了，惹得他发脾气？"

他斜睨了她一眼："小孩子别多问。"

她不服气："你才是小孩子呢！"停了停，忍着笑说，"要不你也弄一部辉腾，那车好，人人看到都以为是帕萨特新款。"

纪南方终于笑出声来："就你的嘴最损，辉腾的代理商一定被你气死，百多万的车被你形容得一钱不值。"

守守不理他，笑眯眯地对他女伴说："你好！我叫叶慎守，是纪南方的妹妹。"

那女孩子一直在听他俩说话，一双忽闪忽闪的大眼睛，倒真是眸如点漆，灵动乖巧："你好！我叫陈静。"

两个女孩子说起话来，陈静果然还在念书，她也是大四，比守守只大几个月，所念的外国语大学和守守的学校不过一墙之隔，两人顿生亲密之感，等到下车的时候，已经是手挽着手了，倒把纪南方撂在了一边。

鲨鱼骨云吞果然鲜香宜人，守守吃饱了心情大好，跟陈静也颇谈得来，她们说得热闹，见纪南方看腕表，守守于是问："你又约了人？"

没等纪南方答话，陈静就说："要不我们回去吧。"于是纪南方叫司机送陈静先走，陈静问："那你们呢？"纪南方说："不要紧，我叫人再开车来。"

等车来了，他送守守回去，守守一时忍不住，说："纪南方，你要是认真呢，我就不说什么了，你要是玩玩呢，何必招惹这种小姑娘。"

纪南方直发笑："什么小姑娘，人家不比你还大几个月？小毛丫头，倒教训起我来了。"

守守"哼"了一声，懒得再理他。

没过几天，守守忽然接到纪南方的电话："丫头，在哪儿呢？我来接你，跟我试车去。"

守守一听到试车就脸色发白。因为叶慎容一段时间突然迷上跑车，有次从英国弄回辆82年的莲花，兴致勃勃拉她去试车。结果这么古董的车，叶四公子也只用了97分钟就从市区跑到了渤海湾边海堤上，只差没在四环主干道上玩飘移，把守守给吓得够呛，从此凡是叶慎容叫她试车，她都抵死不从。

没想到纪南方也会找她试车，所以她支支吾吾："我在宿舍睡午觉呢，你那女朋友呢？要不你跟她试车去吧。"

"什么女朋友？"

"陈静啊。"她耐心地提醒他，"外国语大学那个，特漂亮。"

纪南方"哦"了一声，说："早掰了。你别睡了，我马上过来接你。"不等她说什么，就把电话挂了。

他上次送她只到楼下，今天是第一次到她的宿舍里来，所以进门后很有兴致地环顾四周。其实台里已经十分照顾了，不过房子略旧，很紧凑的两室两厅，阳台还是朝西。客厅里只有几件简单的家具，地板看得出来很新，应该是刚换过的。所以他忍不住问："你还打算在这儿常住？"守守心虚反问："谁说我打算常住了？"

纪南方说："你把地板都换了，难道不是打算常住？"

守守怕他向叶慎宽告密，只得硬着头皮撒谎："搬进来之前台里替我换的，原来的太旧了。"

纪南方笑了一声，指了指脚下："意大利进口的Listone Giordano，你们台再有钱，也没奢侈到给员工宿舍铺这个吧？"

【六】

　　她没想到这上头露了馅。其实她什么都不懂，去了趟家装城，看到这地板不错就买回来了。对方又包送货上门安装，非常省心。她是刷卡付账，连总价一共多少没太注意。

　　"你改行干家装了？"她有点被抓到小辫子的恼羞成怒，"连地板牌子你都认得？"

　　"哪儿啊，我办公室最近重新装修了一遍，跟你用的一模一样的地板。"

　　"哦？"她成功地转移了注意力，"你还有办公室？"

　　"开玩笑，我还是董事呢。"

　　一句话逗得她笑起来，弯了弯腰，调皮地说："那我们走吧——纪董。"

　　他也被她逗笑了，问："你就穿这个？不换件衣服？"

　　已经供暖了，她又刚起床，只穿件鹅黄开司米低领衫，领口袖口滚着软软的雪貂毛。纪南方老觉得她像某种小动物，一直想不出来像什么，现在突然有点恍然大悟，原来是像刚出壳的小鸭子，黄黄的，绒绒的，像个毛线团，惹急了还会叽叽喳喳乱叫。

　　守守说："不就是去试车吗？"随手拿了大衣，"走吧。"

　　他开着新车来的，就停在楼下，看到那车的第一眼，守守就愣了。

　　纪南方觉得她傻眼的样子挺好玩，不无得意地说："怎么样，不错吧？"

　　守守只觉得哭笑不得："你还真买了？"

　　"哪儿啊，我前阵子帮人一小忙，完了人家非要送我辆意大利小跑，我说你们就饶了我吧，老头正为这事寻我晦气呢。我还打算把车全换成辉腾，多好啊，低调，满大街的人看到都以为是帕萨特新款。我本来是开玩笑，谁知道人家愣给当真了，专门从德国给我弄回来四辆，四辆啊！两个集装箱……我一看头都大了，也不好退回去。得，闷声发大财，三辆送了人，自己留下一辆，开着就开着吧。"

车子其实还不错，秉承德国车一贯的传统，稳重到几近保守。守守只觉得空调挺不错，刚关上车门温度就起来了，于是把大衣脱了，问："我们去哪儿？"

"试车当然出城去，跑远点才有感觉。你说往东呢还是往西？"

"随便，别又把我拉海边上就行了。"

他看了她一眼："谁曾经把你拉到海边上？"

"还有谁？我四哥呗。"她一脸的不高兴，"嘻，甭提多惨了。那次我才知道原来我也会晕车，把我给晕惨了，下车后连路都不会走了，被他笑话了足足三天。"

他听得哈哈大笑。

守守觉得他跟叶慎容一样没良心。

出城后风景其实很漂亮，已经是初冬时分，高速公路两侧的山野阡陌，都只是土地的单调黄色。车窗外偶尔闪过农家小院，房后几株柿子树叶子都掉光了，却挂满了柿子，像是一树红彤彤的小灯笼，在湛蓝的天空下格外醒目。

纪南方开得并不快，大约是因为新车还在磨合期，但他们运气不错，没遇上堵车，车况路况都好，不知不觉一口气已经跑出了一百多公里。天色已近黄昏，满天彩霞颜色绚烂，照在车头上，橙黄色的一点淡淡斜阳余辉。守守不由得说："真漂亮。"

她转过脸来跟他说话，一线斜阳正好勾勒出她的侧影，如同摄影的逆光镜头，有一种绒绒的质感，仿佛底片上的颗粒都历历可数。他觉得有点热，调了一下空调，问她："天快黑了，待会儿还得回去呢，要不找个地方随便吃点吧？"

"好啊！"

山路边就有不少农家饭庄，一家挨着一家，也看不出来哪家好。于是随便挑了家，店主人很热情地指挥他们把车倒进小院，然后又把他们让进里屋。

说是包厢，正经是农家四合院厢房中的一间，有着传统的土炕，守守觉得挺好玩的，坐到炕头上去，烧得正暖和，她坐下就不想动了。帘子一挑，进来个仿佛高中生的小姑娘，替他们倒茶点菜。

纪南方有一句没一句地跟小姑娘套词，原来是店主人的侄女，读完技校就来叔叔这店里帮忙。纪南方一表人才，又衣冠楚楚，一口字正腔圆的普通话，说出的话句句俏皮，小姑娘哪见过这样的人物，被他逗得耳朵都红了。给他们点了柴鸡炖蘑菇、蒜苗炒柴鸡蛋、菜团子，还有小姑娘极力推荐的一条红鳟鱼。

分量很足，到最后菜团子上来的时候，两个人都吃不下了。守守也喝了一点点包谷酒，现在酒劲上来了，只觉得热，把碗推开："我实在吃不下了。"

"再吃点，"他不以为然，"人家小姑娘刚才都说了，好吃不要浪费。"

她笑嘻嘻地说："你最近很爱逗小姑娘啊？改LOLI控了？新找个女朋友都是学生。"

他没听懂："什么叫LOLI控？"

她一本正经地答："就是像你这种专喜欢小姑娘的，就叫LOLI控！"

他的眼睛分明蕴着笑意："胡说八道！你才LOLI控呢！"

守守笑嘻嘻："我不会是LOLI控，我顶多正太控！"

结果他也不懂什么叫正太控，把守守盘问半天，她却咬紧牙关，打死也不说。

纪南方向来很少带现金在身上，皮夹里只有几百块，幸好还够结账。走出来老板正好站在走廊下抽烟，看到他们出来，笑眯眯递给纪南方一支烟，这倒是出乎纪南方意料，怔了一下才接过去。那老板已经掏出打火机，替他点上。

纪南方觉得有意思，只吸了一口，就将烟拿下来，又看了看。那老板告诉他："中南海，二十块的。"

两个人抽着烟说话，老板是个爽快人，先问了饭菜合不合胃口，纪南方夸赞鱼很新鲜，老板面有得色："自家养殖场的，现捞活杀，别的不敢说，新鲜那是一定的。好多人开车跑一两百里地，就为上咱们这儿来吃鱼呢。"

两个男人站着抽根烟，好比两个女孩子一块儿逛了次街，几乎立刻就熟识了。院子里拉着两串明晃晃的红灯笼，映得院子里一片红彤彤的，喜气洋洋。店里生意不错，停着好几部车，老板指了指停在院墙下的车，问纪南方："您这车，是帕萨特的新款吧？以前没见过这样的。"

纪南方胡乱"嗯嗯"了两声，瞥了守守一眼，她果然笑得咬住了嘴角，拼命忍住的样子。

偏偏那老板还说："看着挺不错的，比旧款可好看多了，要二十多万吧？"

纪南方一本正经地点头："得二十多万呢！"

等上了车，守守才无声地笑了起来，驾驶室顶灯是温暖的橙黄，因为喝过酒，她的一双眼睛真的是眼波欲流，脸上有点红扑扑的粉色，仿佛是一颗水蜜桃，皮薄得掐一掐就要破，所以不能用手拿，只可以吮，而且一定很甜——纪南方被自己这念头吓了一跳，连忙坐正了身子，开始倒车。

他喝了一杯包谷酒，其实他酒量极好，根本不当回事，开着车照样上路。回去都是山路，蜿蜒曲折，一圈圈绕下去，一层层的盘山路……公路上车并不多，只看得到两道寂寞的灯柱射出老远，偶尔路过灯火通明的集市，瞬息又被抛在车窗后……守守终于睡着了。她本来有睡午觉的习惯，这天被他拉出来试车，没有睡成，所以犯了困。她这一睡着就睡得很沉，靠在车门上，仿佛想要蜷起来的样子。车内本来就十分安静，静得仿佛能听见她均匀的呼吸——纪南方有点恍惚，仿佛是那杯包谷酒的酒劲上来了，心里只想快点回去，可是却又隐隐觉得，还是开慢点好。

不论开快还是开慢，终于回到她宿舍楼下，把车停下后，他倾过身叫她："守守，醒醒，到了。"

她睡眼惺忪，还有点迷糊："嗯……到了？"

暖气吹起她几根发丝，痒痒地拂在他脸上，他觉得应该是错觉，因为她的头发剪得那样短，怎么会被暖气吹到自己脸上？可是她的发丝很香，带着一点她独有的清甜气息，没等他反应过来，自己的唇已经落在她的唇上，跟想像中的一模一样，仿佛最柔嫩的花蕊，楚楚令人不忍深触。他不敢动，只是这样轻轻一触，就此停留，他竟然不敢动。

她骤然睁大了眼睛，仿佛不明白发生了什么事，过了两秒钟后，她才用力推开他，打开车门，有点跟踉跄逃也似的跑掉了。

他使劲摇了一下头，仿佛也不太明白发生了什么事，可是只犹豫了几秒钟，他就下车追过去。他在楼洞里追上了她，没等她反应过来，他已经抓着她的手腕，她开始挣扎，他很干脆地将她按在

了墙上，一手扣住了她的下巴，带着一种不可理喻的霸道，狠狠地
吻下去。

守守脑子里轰然一响，仿佛整个人都炸开来，血统统往脸上
涌。如果刚才那一触只是蜻蜓点水，现在的他几乎带着近乎野蛮
的掠夺。他的手臂将她牢牢困在墙壁与他的怀抱之间，她透不过
气来，肺里的空气几乎都被他挤出来了，他攻城掠地，而她节节
败退，她开始害怕，只觉得惶惑，因为只有易长宁这样亲过她，
他甚至比易长宁还霸道，辗转吮吸，不放过她的每一分甜美，只
觉得不够……不够……恨不得将她整个人都揉碎了才好……那种
渴望的叫嚣一旦觉醒，再也没办法平息，只有贪婪地吻着，更深
更深地吞噬……直到她凉凉的泪珠沾在他脸上，他才有点恍惚地
停了下来。

两个人都僵在那里，一动不动。他的手还撑在墙上，保持着
将她围在自己怀中的姿势，可是他渐渐明白过来，明白自己做了
什么。她泪流满面，只觉得一切都是模糊的，在泪光中，整个世
界都是模糊的，扭曲得不可思议……他怎么可以这样对她？

她终于推开他，转身往楼上走。

"守守！"他着了急，可是不敢再伸手拉她，跟着她上了两
步台阶，"我错了……我喝高了……守守……"

她没有按电梯，她步子很快，上楼梯，他跟在后面，一直跟
着她到了楼上。她边流泪边找钥匙，他叫她的名字，可是不敢再
碰她："守守，我错了。我糊涂了……守守……你别哭……"他
从来没有这样心慌意乱，仿佛手足无措，就像小时候闯了祸，打
碎父母的结婚照，不知道该怎么办才好。

她终于找到了钥匙，打开门进去，把他关在外头。她没有力
气再动弹，腿一软就坐在了地板上，后背抵着门，只觉得冰冷，

就那样贴在身上：易长宁……易长宁你在哪里？

你答应过要娶我，要爱我一辈子，不让我被别人欺负，你在哪里？

过了几天就是守守外祖父的生日，虽然不是整寿，但她差不多提前一个月就准备好了礼物，打起精神回家去给外祖父拜寿。

凡在国内的儿孙辈们都回来了，济济一堂，如同众星捧月般簇拥着老人。一年一度除了除夕，就数这天最热闹。老人家看到守守更是高兴："丫头！今年送我什么？"

她笑着拿给外祖父看："笔洗。"

东西是清代的，并不贵，青花的松鹤延年，取个意头罢了。外祖父果然很喜欢，又说："还是丫头对我最好，知道我喜欢什么。哪像沂勖那小子，就送我一套奥运门票，撺掇我这把老骨头到时还去看开幕式。"

盛沂勖是她的大表哥，听到自己被点名，于是开玩笑："爷爷这么多年最偏心守守，要是换了守守送您门票，您又该说，还是丫头有孝心，早早就打算陪姥爷看开幕式了。"

老人家大笑："不得了，这混小子，连我的说词都猜得到。"

一屋子人都笑起来，七嘴八舌哄老人家开心，甭提多热闹了。吃过长寿面后守守又陪着姥爷在走廊上遛弯儿。老人家快九十岁了，可是精神很好，根本不用人扶，步子迈得比守守还稳当，一边走就一边数落："丫头，最近怎么都瘦成这样了？"

守守伸手摸了摸脸，说："实习有点忙，正好当减肥了。"

"胡说。"老人家虽然是呵斥，可是仍是疼爱的语气，"小孩子减什么肥？再说我就不明白健健康康不好么？非得瘦得像排骨一样。"

"姥爷！"守守撒娇，"等我吃两顿好的，马上就长回来了。"

"那你常常回来，我叫老张给你做狮子头。小时候你最爱吃狮子头了，有次一口气吃了三个，那么大的肉丸子，你吃了三个，把带你的刘阿姨都给吓着了。忙给你喂消食片，最后还是积了食，上吐下泻……后来你就学乖了，再爱吃，也只吃一个了，知道吃多了受不了哇。"

守守想起童年糗事，有点不好意思地笑，老人家却慢慢地说："所以不管喜欢什么，都得节制。前一阵子，沂勋把小虎揍了一顿，我说你打孩子干吗？不就是玩个游戏吗？等他吃过亏，明白事理了，自然懂得凡事要节制，哪怕再喜欢，喜欢到伤心伤身，那就不值得了。"

守守有点发怔，原来连姥爷都知道了，自己的这点伤心事，原本以为是瞒过了父母，没想到原来谁也没瞒住。老人家说："孩子，人生在世，哪会样样都称心如意？况且你还小，将来遇到的人会更好，到时候你就会知道了，如今这点烦恼，实在不值得一提。"

她心里一酸，小声说："姥爷，我懂得。"

是啊，这些她都懂得，可是她早就明白，这辈子她也许会遇上很多人，也许会遇见比易长宁更好的人，可是，再好的人，都不是易长宁。

就像小时候偷偷看《倚天屠龙记》，杨不悔说："无忌哥哥，你给了我那个糖人儿，我舍不得吃，可是拿在手里走路，太阳晒着晒着，糖人儿融啦，我伤心得甚么似的，哭着不肯停。你说再给我找一个，可是从此再也找不到那样的糖人儿了。你虽然后来买了更大更好的糖人儿给我，我也不要了。"

那时候不明白，觉得张无忌更好，为什么杨不悔偏偏要喜欢那个殷梨亭？武功不够高，为人也优柔寡断，更弄不明白他爱的到底是纪晓芙还是杨不悔，可杨不悔就是对他痴心不改——百思不得其解。

一直到了认识易长宁，才知道，原来喜欢就是喜欢了，没有道理，亦没有别的办法。不管他是什么人，不管他是什么样子，只得是他，再没有别的办法。

姥爷有午睡的习惯，散步后就上楼休息去了，几个表哥也改到去花园打牌，她和表姐盛芷玩一盘跳棋，很多年没玩过了，还是小时候的游戏。盛芷看她有点心不在焉，于是问她："你的感冒还没有好？"

"什么？"

"失恋如同一场感冒，其实不需要任何药物，最后也会自然而然地痊愈。"

她挺佩服这位表姐，歪头打趣："姐，有没有兴趣替我们写个文案？"

盛芷粲然一笑："等你们改版成情感频道吧。"

【七】

晚上有小型的家宴，所以陆陆续续有客人来，都是世交好友，来给老人家祝寿。

守守没想到纪南方会来，他是陪他母亲来的，他妈妈看到她很高兴："哟，守守这姑娘越长越漂亮了。"

她叫了声："陈阿姨。"然后也叫了声："三哥。"

然后趁长辈们说话，她顺势就走开了。纪南方却跟着她一直走出来，她有点恼，猛然转过身："你干吗跟着我？"

她气鼓鼓的样子很好玩，像小时候跟他斗嘴斗输了，其实色厉内荏。于是他就笑了："过几天我请你吃饭吧，去吃四头鲍？"

就这么一句话，她就放下心来。看来那天他真是喝高了，所以一时酒后失德。算了，看在这么多年手足的分上，她原谅他了。

于是她很高兴地说："不行，你请客吃什么四头鲍啊，听着就腻，我要吃沂蒙风光。"

这顿饭终究没吃上，因为快到年底的时候电视台非常忙，每个人都恨不得有三头六臂，守守虽然是实习生，但她非常勤快，又不娇气，连主任也对她另眼相看，于是相应的工作任务也逐渐加重。而纪南方向来神龙见首不见尾，所以守守一段时间没看到他，早把这事忘到脑后去了。

这天赶一个节目，整个栏目组忙得昏天黑地，已经快晚上八点了还没吃晚饭。工作已经接近尾声，跟她同组的糖糖伸了个长长的懒腰："哎，可算弄完了，我都饿得有点幻觉了……好像闻到蛋糕的香气了。"

守守本来不觉得，被她这么一说，胃倒一抽一抽地疼起来。是真的饿了，她也有点幻觉，空气里好像真的有蛋糕的香气。两个人正面面相觑，突然听到有人敲门，门本来没关上，回头一看，原来是保安。

托着一只大大的蛋糕盒走进来，帅帅的保安笑眯眯地说："蛋糕店送来的，按规定不让进门，所以我就帮忙拿上来了。叶小姐，原来今天是你生日啊，生日快乐！"

糖糖先尖叫了一声，守守也怔了："我……忘了。"糖糖说："真是，你自己都不记得！"其实家里人一贯按旧历给她过生日，所以她自己把公历生日都忘了。

糖糖接过蛋糕去，守守笑着招呼同事："来来！快吃蛋糕！"

"哎呀，小叶今天生日都不说一声。"

"凯宾斯基的冰激凌蛋糕，呵，订蛋糕的人真有心！"

嘻嘻哈哈热闹起来，都放下了手头的事，围过来簇拥着守守，替她点上蜡烛，让她许愿。有同事把灯关了，薄薄一点微红的烛光，朦胧地跳跃着，映在守守脸上。守守突然有点难过，因为这情形，似曾相识。

只有易长宁给她过公历生日。去年的这一天，易长宁忙着加班，她给他打电话，他哎呀了一声，说："我忘了。"

那次她忘记他生日，她曾非常心虚地说："要不，下次你也忘记我生日吧。"

他斜睨："我永远不会忘记你生日的。"

结果他却忘了，她郁闷了差不多整整半天，直到回到宿舍，才看到大捧的蓝紫色睡莲，还有生日蛋糕。原来他只是逗她，他根本就没忘。

整间宿舍的人见到那束空运来的睡莲都吸气，涵秋说："这男人真浪漫！别人都送俗气得不得了的玫瑰，他却送睡莲。"

舒熙园看到蛋糕垂涎三尺："是冰激凌的哦，再不吃就化了！"

关夏手一挥，替守守发了话："吃！吃！赶紧！"

大家嘻嘻哈哈，点上蜡烛让守守许愿。

那时候许了什么愿？

易长宁，希望我们永远这样幸福。

真是傻啊，这世上哪有永远，幸福是夜空的烟火，瞬息万变，盛开得美丽眩目，然后转瞬即逝，再也不见。

易长宁第一次送她的花，也是睡莲。

那天他请她吃过水煮鱼后，第二天易长宁又打电话给她，约她吃饭，她说："师姐他们还没回来呢。"

他说："我知道。"停了停又说，"其实我有件事想告诉你，我们当面再说吧。"

守守觉得很奇怪，不晓得什么事，所以按时赴约，结果他送她一束睡莲。

她轻轻"啊"了一声，又惊又喜。睡莲仿佛还带着池塘清凉的露水，开得正好，亦有小小的紫红花蕾待放，舒卷如意的碧绿叶子，不过手掌大小，仿佛是一掬郁郁青青的夏意。

她不是没收到过花，在国外的时候有男孩子送她大捧的向日葵，金灿灿的花，耀得人眼睛都痛。回国后也有人送玫瑰，九十九枝，俗气得不得了，又不巧被叶慎宽看到，笑话说真是叶家有女初长成。

可是没有人送过她睡莲。

心里有小小的窃喜，仿佛是风乍起，伏在荷叶上的蛙跃入池中，溅起点点涟漪。

她很喜欢，看了又看，说："这花不像花店里的样子。"

没有玻璃纸、皱纹纸的包裹，亦没有花俏的配叶，只是几片莲叶，那样随意的一束，仿佛是随手撷下来。让她想起硕大的景泰蓝大缸，四合院夏季树荫底下的幽静，浮一点绿的萍，而她还很小，踮着脚，看姥爷养的鱼。鲜红色的一尾两尾，悠然划开墨玉似的水，是童年最清凉的记忆。

他说："不是花店买的，我庭院里有个小池塘，种满了睡莲，今天开了这些，我早上摘了，然后放在办公室里，拿清水养了这半日，只想着送给你。"

涉江采芙蓉，兰泽多芳草，采之欲遗谁，所思在远道。

这样含蓄的话，却又这样动人。她从来不曾想到原来工科出身的人也可以这样浪漫，正如她从不曾想到他会在第二次见面就表白。

他曾经那样对她好，他曾经那样爱过她。

她在盈盈泪光里吹熄蜡烛。

同事们鼓起掌来，每人分一碟蛋糕，糖糖冲她做鬼脸，偷偷问她："是不是男朋友送的？"

她的手有点发抖，脸上却笑着。凯宾斯基的冰激凌蛋糕，她一直很喜欢，她偶尔不回家在学校宿舍过夜，他总会记得叫司机替她买一份，送到宿舍去。

明明是怕她晚上饿了胃疼，他偏偏说："我加班肚子饿，想吃东西，于是给你也买一份。"

宿舍里的女孩子每每分享，个个嚷嚷："要叫易长宁负责啊，我们都长胖了。"

那个时候她也有一点嘟嘟的婴儿肥，照镜子的时候总是沮丧，上镜头不好看。上镜头要那种小脸，只有巴掌大才好。

说给他听，他左右端详好久，才点点头："再长点肉才好，最好长成小肥猪。"

她恼了，跳起来打他，他一低头就吻住她，说："这样就没人跟我抢你了。"那吻是甜的，比世上所有的甜品都甜。

他已经离开了她，可是，他仍记得她的生日，送她蛋糕。

她很镇定地走回自己的座位，放下纸碟打开浏览器，跳出来的是熟悉的Flash欢迎界面，然后她怔了很久，才点击BBS。

出乎意料，没有听到那一声系统的拒绝声，很快，或许是一秒，或许一秒钟都不到，熟悉而又陌生的BBS界面已经出现。

仿佛整个遗失的世界轰然而至，一切如此突然，她不知道这是怎么回事，只以为自己这一生已经被拒之门外，可是却奇迹般地打开了论坛——她刚刚才许了愿，难道真的灵验？她有几秒钟不能动弹，后来想起来，急急在在线名单里找了一遍，却没有看到"令狐冲"。因为她老爱叫他大师兄，所以他给自己注册了马甲，就叫"令狐冲"，她还曾笑嘻嘻地开过玩笑，说："那我注册马甲叫小师妹好了。"

他没有答应她，给她注册的名字叫"八戒"。

她知道他的意思，因为令狐冲与小师妹，最后是天人永隔，再没有成双携对，所以他不肯。

可是现在孙悟空，也不要八戒了。

西去迢迢万里路，他却不要她了。

或许是嫌她懒，或许是嫌她笨，或许是嫌她真的是呆子，反正他不要她了。

他也许换了ID，可是他的笔记本一定开着，软件也没有卸载，不然她不能连上BBS。她没能想明白是怎么回事，因为一眼看到有置顶套红的醒目帖子："易生的婚礼"。

有人贴出他婚礼的照片。

南加州，宾客笑容灿烂，阳光更烈得几乎令人眼盲，新娘的婚纱却像雪一般，在她眼中迅速消融。

嗓子眼里渐渐泛起腥甜，是心口蚀出一个洞，在每一个日夜，缓慢腐蚀，终于在一刻崩塌。握着鼠标的手开始慢慢发抖，近乎机械地翻页，一张张往下看，每一张照片就如同一枝箭，刺入心窝，疼得她没有办法呼吸。

如果这是万箭穿心，她却不能闪，不能避，只能哀哀受着，连痛楚都不能呻吟。眼里渐渐涌起热意，是辣的。

新娘笑得很幸福，有一对新人的合影，他穿雪白的小礼服，很英俊，灿烂的阳光下仍是白衣胜雪。其实脸庞晒黑了一点点，可是还是那样的朗眉星目，乌黑的眼珠隔着显示器看着她，微蕴着一点笑意，仿佛什么都没有变。

她终于站起来，有点踉跄地往外走了两步，回过头来又关电脑，按"注销"键的时候，她终于知道，自己这一生，再也不会登陆了。

他这样狠，用这样的方式来毁了她最后一点残存的念想，决绝地，吝啬地。连记忆都不肯给她留一分。她一遍遍地在心里想，他怎么可以这样，怎么可以这样残忍？

糖糖惊诧地问："小叶你怎么了？"

她说："我不舒服，我想先回家。"

糖糖看她脸色苍白，整个人似摇摇欲坠。明明是生日，刚才切蛋糕的时候她似乎还挺高兴。糖糖以为她是病了，说："那你快回去吧，反正没什么事了，组长那儿我帮你说一声。"

她道了谢就走出去。

走到电梯前糖糖追上来："小叶你的包。"

她有点麻木地接过去，糖糖很担心："要不叫大伟送你吧，你脸色好难看。"

她轻轻摇了摇头："我只是……有点疼……"

糖糖以为她胃疼，"哦"了一声，说："那你快回家吧，吃点东西休息一下，胃疼一定要吃东西的。"

她不是胃疼。

她只是胸口那里，疼。

她梦游一样出了大门，上了的士，出租车司机问："小姐，去哪儿？"

她听了两遍才听懂，又想了好一会儿才说："电影院。"

司机把她送到附近的电影院，她独自买票，随便看了一部电影。

上座率并不高，只有寥寥可数几个观众，有情侣在最后的包座中旁若无人地接吻。而她坐在前排，一动不动，泪流满面。

是《公主日记》的续集，名字叫《皇室婚礼》。迪斯尼的片子，轻松明快的欧洲小国，精巧的园林，梦幻的城堡，浪漫的邂逅，那一瞬间，喷泉齐齐绽放，如同鲜花缤纷盛开。

王子骑着马朝教堂狂奔而去，米娅公主终于在三十天内找到了真爱，从此，他们在城堡里过着幸福的生活。

明明是童话，她却独自坐在黑暗的影院流泪。

是真的没有出息，她只会流眼泪。

因为除了流泪，她不知道自己还可以做什么。

她没有回家去，也不想回宿舍，什么东西都没有吃，胃里空空的，疼得难受。站在街边看到酒吧闪烁的霓虹，想起这酒吧的名字仿佛听谁说过，也许是叶慎宽。

以前她跟同学偷偷泡过吧，实习开始后偶尔同事请客，也去酒吧里见识过。但这间酒吧跟平常去的不太一样，不仅要买门票，而且气氛异常High，舞池里男男女女，摩肩接踵，灯光狂乱，音乐震耳欲聋，连DJ都疯狂到了极点，仿佛群魔乱舞，午夜狂欢。

Waiter问她要什么，她说长岛冰茶。

其实她酒量寻常，在国外的时候叶慎容偷偷教未成年的她喝

Tequila Bang，用杯垫盖着杯口，往桌子上使劲一蹾，然后一口气吞下。结果只喝了两杯，她就身子一歪倒了，吓得叶四公子差点打999。

点长岛冰茶，不过是因为好入口，容易醉，醉了哭起来，总会有个理由。

喝了两杯，并没有醉，不过灯光越来越闪烁，音乐越来越飘忽，有陌生男人在她身边坐下来，跟她搭讪。

她不理会，但那男人不屈不挠，她觉得烦了，把杯子一撂，走到舞池里去。

音乐正劲爆，所有的人都在扭曲着身体，她只觉得浑身发热，酒力上涌，不知不觉已经随着强劲的节拍开始舒展身体。

她跳得很High，十二岁前她一直学芭蕾，虽然自己不喜欢，但外婆微皱眉头："不好好练琴倒也罢了，难道连Ballet都不肯好好学？"

外婆出身于晚清世宦名门，家族显赫无比，直到民国仍保持了洋派开明的家风，外婆毕业于著名的七姐妹之一的Smith College。盛家所有的女孩子都被她调教得优雅如公主，只有守守是异数，叫她头疼。

外婆去世后，父母工作忙又无法顾到她，守守终于趁机放弃芭蕾。但幼年时训练出的底子很好，她身体的柔韧性比一般人要强许多，所以一旦舞动起来，年轻的身体如鲜花般怒放。只两首曲子下来，渐渐有人注目，有人吹口哨，有人鼓掌，将她围在中央。

守守跳出了一身汗，走回吧台去喝酒，第三杯长岛冰茶，她喝得很快，因为渴了。刚才跳得太忘我，一坐下来才觉得头有点发晕，原来真的很容易醉，她怕自己真的会哭，怔怔地咬着杯子。

身边又有人坐下来，拿腔拿调地问："小姐，能不能请你喝杯酒？"

真讨厌！

她转过脸问Waiter："有没有包厢？"

一个人待着，清清静静喝点酒总行吧？

当然有包厢，Waiter引她上楼去。包厢有最低消费，守守索性开了瓶红酒，叫了果盘来，自斟自饮。

墙上有硕大无比的液晶屏幕，她点了歌，却不唱，一首首地接着往下听。

缠绵绯恻，爱恨离伤，字字句句都是荡气回肠。

渐渐喝得头晕目眩，知道自己是喝高了，于是按铃叫人结账。反正是刷卡，叶慎宽的秘书每个月1号准时划账给她零用，其他的哥哥们也都有给她副卡。

多好，什么都不缺，包括钱。

她顺着走廊往外走，步子渐渐跟跄，心里还在想，今天的事如果被父亲知道一定会挨打，虽然从小到大，爸爸都没动过她一根指头。她是独生女，又是叶家这代人里唯一的女孩子，自幼不管是祖父还是堂兄们，人人视她如珠似玉。身边更无论是谁，看到她都是笑脸相迎。

全世界的人都给了你青眼，唯独那个人，却给你白眼。

人果然不能伤感，一伤感起来，连想到的话都是伤感的。她觉得腿脚发软，有点迈不出去，靠在墙上闭着眼养了会神，才接着往前走。

正好一间包厢门打开，有人走出来，她喝得高了反应有点迟钝，差点撞那人身上。

那人也喝得有点多，醉醺醺地问："怎么走道呢？"

她抬头一看，咦！

原来是万总！

万宏达似乎比她更意外。守守顿时有种恶作剧的快感，她舌头打结，有点吐词不清："是你？你还欠我一百零八万呢！"

灯光闪烁，照见她盈盈一双眼睛，眼波欲流，笑靥如花，别有一种妩媚动人。万宏达顿时觉得口干舌燥，笑眯眯地说："叶小姐，真巧！来来，到我们包厢坐坐！"伸手就来拉守守的手。

守守想要闪避，可是胳膊腿都不太听使唤，竟然被他拉住了手，就往包厢里去。

她虽然喝得有点多，可是心里还是十分清楚的，一手抱着走廊的立式灯柱，连连摇头，就是不肯跟他进去。

【八】

正在拉拉扯扯的时候，身后突然响起一声厉喝："叶慎守！"

守守回头一看，竟然是纪南方。

她傻乎乎地笑："纪南方！"

上次他去给她姥爷拜寿后，两个人的尴尬一扫而光，说说笑笑，一如从前，总算恢复了革命的友谊。可是他现在的样子好奇怪，像条喷火的暴龙。

她觉得这比方很有趣，因为很少见到纪南方这个样子。他其实同叶慎宽有点像，总有一种漫不经心的玩世不恭，一旦遇上事情，反倒镇定自如。

所以她觉得他这种暴龙样子很好玩，于是呵呵笑。纪南方已经一把将她拽过去，拽得她一个趔趄，差点又撞在他身上。

万宏达本来也有八九分醉意，看着到手的美人又飞了，顿时勃然大怒，新仇旧恨一起涌上心头，骂骂咧咧就伸手推搡纪南方："你他妈多管什么闲事！"

纪南方大怒，不等他的手指沾到自己的衣服，出手极快，已经揪住万宏达的衣领就往外头一掼。他是自幼拜在名师门下学过近身擒拿的，手劲奇大，只听"砰"的一响，万宏达那个胖大身材已经飞出了老远，撞得灯柱"哗啦"一声碎成一地。

万宏达抹了一把脸，满手都是血，顿时叫喊起来。他身后包厢里的人一涌而出，看到这情形，有人忙着去扶他，还有人气急败坏地开始打电话，余下的人一拥而上，就去围攻纪南方。场面顿时一片混乱，只听见乒乒乓乓，走廊里的镜框、花瓶、灯柱不知道碎了多少。其他包厢里的人听到动静，早就开了门出来看。

一见是这种场面，有胆小把门关上的，有出来瞧热闹的，有打电话报警的，还有人扬声叫："哟！纪三，是你啊！打架呢？"

纪南方已经撂倒了两个，他指东打西，拳打脚踹，百忙中还有工夫答："哎！打架呢！"

"要不要帮忙啊？"那人也有趣，负手在一旁只管问。

"不用！"纪南方咬牙切齿地说，"你身娇肉贵的，万一磕着碰着点，老头知道了非收拾我不可。你就一边待着吧！"

"兄弟一场，我袖手旁观有点不像话，要不我帮你料理两个？"

"用不着！"纪南方"咔嚓"一声动作利落地脱掉对手的肘关节，对方顿时疼得哇哇叫，立刻倒地打滚去了。还有两个被纪南方眼神一扫，吓得连连倒退了几步，掉头就跑。

"回来！"先前跟纪南方说话的那人忽然将手一伸，也没看清他是怎么出手的，已经揪着两人的衣领，丝毫不费吹灰之力地将两人扔在了地上，七八个人都倒在地上直叫"哎哟"。万总反而不敢叫唤了，睁大了眼睛瞧着纪南方，就像瞧着一个怪物。

酒吧的经理带着一群保安早已经赶上来，看着这场面，反倒也避在一旁。

守守还是呵呵笑，看着横七竖八躺了一地的人，摇头晃脑地说："纪南方，我要告诉纪伯伯，你又打架！"

纪南方慢条斯理地说："连打架都打不赢，那是孬种，不是我儿子——这是老头当年教训我的。今天这事就算让他知道了，也不能骂我。"

那人咻地笑起来，一双丹凤眼微微眯起，更显得秀长明亮："还记仇呢？不就是那次打架你输给我，你都记多少年了？"

纪南方狠狠瞪了他一眼："阮正东！谁输了？当年那是你耍无赖！"

这人正是阮江西的哥哥阮正东，守守笑嘻嘻："你们吵了这么多年，累不累？"

两个人同时"哼"了一声，掉转脸去不再看对方，几乎是同时又自顾自各掏出烟盒来，点上一支，吞云吐雾。

一根烟快抽完了，警察终于来了。

声势很浩大，110一路鸣着警笛由远及近，然后叫经理带路进来。万总看到警察，顿时连酒都醒了，捂着脸上的伤口迎上去："警察同志，他们打架斗殴，出手伤人。"

为首的警察一看地上躺着七八个人，于是问："打群架？哪几个是一伙的？"

万总一指纪南方与阮正东："他们是一伙的！"

没等警察说话，纪南方与阮正东已经同时说："谁跟他一伙的？！"齐齐又掉转脸去，瞥了对方一眼。

过了半晌，警察终于弄明白了："他们这么多人，就打你们两个？"

"不是两个。"阮正东耐心地指了指纪南方，说，"我没出手，就帮忙拦回两个逃跑的，他们只打他一个。"

警察上上下下把纪南方打量了一番，说："这些人全是你撂下的？挺能耐啊？"

纪南方漫不经心："还行，没给师门丢脸。"

这下警察好奇了："你师父是谁？"

纪南方本来懒得理会，想想还是告诉他了："我师父姓徐，排行第九。"

没想到警察两眼发光："原来是徐老师的徒弟！"握着纪南方的手，激动地摇了又摇，"真没想到，有生之年还能见着徐老师的徒弟！"拉着纪南方，只差没当场请他签名，"我是武警转业，我们这些后生晚辈，都没缘分见过徐老师。听说徐老师当年担任总教练的时候，门下有一帮高徒，个个都是身怀绝技……没想到我今天还能遇上您这样的高手！您这是手下留情啊，不然这帮兔崽子，哪个能活着喘气？"

"不是，我小时候身体不好，跟着老人家学了两天，可不算他正式的徒弟。你要这么说，叫老人家知道，轻饶不了我。他最烦人在外头跟不懂功夫的人打架，说这叫以强欺弱，我可丢脸丢大了，您就别再说了。"

"好！好！不说了！"那警察连连点头，指了指地下的人，"这帮兔崽子是怎么回事？"

"不学好，调戏良家妇女。"

"啊！"警察怒了，"一看就不是些好东西！统统带回去，一旦查证情况属实，就按治安处罚条例，拘留他们十五天！"

　　万总叫起来："谁调戏良家妇女了？良家妇女在哪儿？我们明明是来唱歌的，你丫动手打人还栽赃陷害！"

　　纪南方拽过守守："你调戏我妹妹，你看把她吓得，话都说不出来了。"

　　万总大叫："你胡说八道！你冤枉好人！"

　　守守只怕自己忍不住会放声大笑，所以把脸埋在纪南方怀里，拼命地忍住不笑出声来，忍得全身发抖。

　　纪南方一手轻拍着她的背："别哭！别哭！警察同志会为我们主持公道的！"

　　那警察看了看"哭"得抬不起头来的守守，再看看满脸酒色财气、醉醺醺的万宏达，最后信任的天平彻底滑向了偶像的高徒，对手下两个小警察拍板："把他们带回去！好好审查！"然后冲纪南方一笑，"你把身份证号码、联络电话留下就行了。快带你妹妹回家，你看把小姑娘吓得，哭得直发抖了。"

　　纪南方于是掏出身份证，又留了张名片给警察。万宏达大叫："冤枉！我没调戏良家妇女，是他先动的手！冤枉！我要打电话给我的律师！你们这样随便抓人是违法的！我要打电话给我的律师！"

　　比窦娥还冤也没用，万宏达还是被人民警察推上警车带走了。

　　守守觉得自己真喝高了，因为连路都不太会走了，可是她明明还挺有礼貌地跟阮正东告别："东子哥，我先走了啊，替我向西子问好。"

　　纪南方几乎是拖着她进电梯的，直接下到停车场，恶狠狠地把她塞到自己车里去。守守问他："你的新款帕萨特呢？"

"闭嘴！"

守守喝高了都能感觉到他勃发的怒意，算了，她不跟一个刚打完架的男人计较，尤其这男人还又刚遇上凤敌。

她一直觉得好笑，为什么纪南方跟阮正东从来就不对眼，明明两家大人关系还不错，交情更可以上溯到祖父辈爬雪山过草地那会儿。但他们小时候打架，长大后也是针尖对麦芒，处处针锋相对。

她觉得难受，胃里跟翻江倒海一般，其实什么都没吃，也许是喝杂了，除了红酒她还喝了三杯长岛冰茶。

他怕她要吐，减慢了车速，又打开车窗，冷风吹在脸上刀割一样生疼，她一路都是笑嘻嘻，竟然没有哭。

进门她踢掉高跟鞋，赤足走在地板上，脚心只觉得痒痒的，幸好是地暖，不凉。她竟然还记得彬彬有礼地问纪南方："你喝什么？我有毛尖，还有咖啡，不过是速溶的。"

"叶慎守！那种地方是女孩子去的吗？"

她歪头想了半晌："里面的女孩子很多啊，为什么我不能去？"

"你还跳舞！那种地方你怎么能跳那种舞？"

他几乎被气死。本来大队人马去唱歌，走上楼梯的时候，忽然有人留意到舞池里最疯狂、最引人注目的身影，不由得吹了个口哨："哟！那妞儿真不赖，一准是舞蹈学院的，啧啧！"

一帮人全看过去，另一人也忍不住啧啧赞叹："你们瞧瞧那腰扭的，真是小蛮腰……"

还有人笑："换个地方让她扭，感觉一定更好！"

一帮人都暧昧地笑起来，只有他变了脸色，隔那么远，灯光忽明忽暗，但他一眼认出来是她。顿时气得手足发凉："都给我闭嘴！"

所有的人都愣住，纪三公子无缘无故大发雷霆，从来没有过的事，不过狐朋狗友见机都快："这里太吵了，要不咱们换一家？"

他铁青着脸："你们先走，我马上来。"

他留下来看看她到底在干吗。后来她单点了一个包厢，他跟上去，要了隔壁包厢。谁知一不留神，她竟然结账先走了，要不是他及时发现尾随而出，她说不定就被那老色狼拖进包厢去了。

那种地方，她又喝高了，什么事都有可能发生，迷幻药、兴奋剂、摇头丸……他想想都觉得心里发寒。

她喝醉了，人也变笨了，想了半天才恍然大悟："原来你早看见我了？"拽着他衣袖说，"不能告诉我哥，更不能告诉我爸，不然他们非打我不可。"

他恨得牙痒："你以为我不会打你？"

她呆了一呆，旋即笑呵呵："那我贿赂你好了。"

从前她偶尔惹到易长宁生气，她就贿赂他。

没等纪南方反应过来，她已经踮起脚尖，搂住他的脖子，温软的嘴唇贴上他的唇。

他唇上有淡淡的烟草气息，还有一种薄荷味的芳香令她忽然觉得悲恸。他突然用力拉开她的手，狠狠地推开她。泪水模糊了她的眼帘，他终于还是推开她，不要她了。

她顽固地扑上去，紧紧抓着他的衣襟，重新亲吻他，他还是那样用力推开她，几乎带着点凶狠。她像个小孩子不肯放手，泪流满面。他一次次推开她，她一次次努力尝试。他越用力推搡，她越是执意要亲吻他，嘴唇撞在牙齿上，隐隐作痛，但她不放过每一次机会。她有点笨拙地尝试吸吮，他推开她的力气渐渐越来越小，最后他终于紧紧抓着她的腰，回吻她。

他吻得很急、很贪婪，像是要将她一口吞下去。她有点透不过气来，一种奇异的愉悦在体内慢慢升腾，她觉得热，可是没办法宣泄，所以去扯自己的领口。他抓住了她的手，仿佛是想要阻止。她却顺势沿着他的手肘摸上去，"咻咻"笑着，他着了急，似乎又想要推开她。她加劲地吻他，他渐渐意乱情迷，她只觉得晕，所有的家具都在晃来晃去，他的脸也晃来晃去，看不清楚……她傻乎乎一直笑，最后她将他按倒在床上的时候，她唯一的念头竟然是，原来倒在人身上是这么舒服。

他吻得她很舒服，起先是唇，然后是脖子，流连地吻着她耳垂——她怕痒，咯咯笑，身子一软就跌下去。他翻过身来，她在他身下挣扎，到处乱摸，却不想点燃一把火来，他倒吸了一口气，动作骤然粗鲁，竟然开始咬她。

后来的事情她记得不太清楚，唯一的印象是疼，疼得她尖声哭叫，抓伤了他的脸，他哄她，一直哄："一会儿就好了，一会儿就好了……"喃喃地，温存地在她耳畔呢喃。她疼出了一身汗，只觉得他是骗人，一会儿这样，一会儿那样，没完没了，贪得无厌。她呜呜咽咽哭着，最后终于精疲力竭地睡着了。

好像睡了没多久，就被一种很熟悉的声音吵醒，像是她的手机铃声。她头疼欲裂，全身骨头都疼，只觉得动一下就要碎掉，身旁有人唤她的乳名，仿佛很近，她把头埋到枕头里，几乎是呻吟："我要睡觉。"

那种声音终于停止了，她翻了个身，又睡着了。

睡了不大一会儿，另一种单调声音又再次将她吵醒。她觉得痛苦极了，为什么要吵醒她？她只要睡觉。

那种单调的声音还是不屈不挠，没完没了，最后床有微微的震动，终于有人下床去开门了。

她的大脑渐渐恢复工作——有人——下床——开门……

那种单调的声音是门铃在响，这里是她的宿舍，她自己的卧室，她自己的床，可是——有人下床去开门?

窗帘没有拉上，太阳明晃晃地晒进来，一片白花花的阳光。她脑中瞬间也一片白花花，昨天晚上的一切如蒙太奇般迅速闪回，她在酒吧喝醉了，然后遇上万宏达，然后他拉她进包厢……她生生打了个寒战，抓起睡衣套上，跳下床就跑出去。

只听外面有人大吼一声，仿佛是咆哮："纪南方! 你在这里干什么?"

纪南方睡眼惺忪、一脸震惊地扶着大门，看着玄关外同样一脸震惊的叶慎宽。叶慎宽看他连衬衣钮扣都没有扣好，脸上还有抓痕，而守守站在卧室门口，衣衫不整，连眼睛都哭肿了。他在电光火石间想到了某种最可怕的情形，忍不住咆哮："纪南方你这个混蛋!"

眼睁睁瞧着叶慎宽一拳挥出。纪南方仿佛也有点蒙了，竟然被他这一拳重重打在脸上，顿时跟跟跄跄退了一步。

叶慎宽只觉得怒不可遏，额头上青筋直跳："纪南方! 这么多年我当你是兄弟!"他咬牙切齿，又是一拳，"你竟然欺负我妹妹!"

纪南方被这两拳打蒙了，连躲闪都忘了。

"你这个禽兽!"叶慎宽咬牙切齿，又是一拳挥出，"守守还是个小孩子! 你怎么下得了手?!"

叶慎宽与纪南方不同，他自幼学的是拳击，每一拳都又狠又准："我今天非打死你这混蛋! 你连守守都不放过! 禽兽!"

"叶慎宽，你疯了？"纪南方终于想起来躲闪，避过他这一拳。叶慎宽更觉得火上浇油，直扑上来："你才是疯了！你连守守都欺负，她是你看着长大的，你还是不是人？！"

两个男人都气急败坏，厮打起来，撞在沙发上，然后轰然翻倒。守守扑上去想要拉开他们："别打了大哥！"

两个大男人像孩子一样在地上扭打，纪南方心存顾忌，顿时落了下风。叶慎宽狠狠地扼住他的脖子，眼睛都快迸出血来："你这混蛋！我把你当兄弟，你却这样对守守！"

守守扑上来拉他的胳膊："大哥！你放手！你要掐死他了！大哥你放手！"

叶慎宽像只发狂的狮子，一下子把守守掀到一边去了，纪南方趁机翻身，压住他的胳膊："叶慎宽你冷静点！"

叶慎宽咆哮着将他掀翻，撞在茶几上，茶几滑出老远，发出一阵轰隆隆的巨响。"你这个禽兽！我今天非揍死你不可！"再次扼住纪南方的喉咙。守守只觉得脑中一片混乱，急中生智放声大叫："大哥！你别打了！我跟纪南方一直在谈恋爱！"

【九】

两个男人骤然静下来，气吁吁瞪着对方，却保持着扭住对方的姿势，屋子里只听得到他们两人沉重的呼吸声，一下一下……

最后纪南方先撒了手，叶慎宽却没有动，依旧紧紧压着纪南方的脖子，盯着他的眼睛："你跟守守谈恋爱？"

纪南方苦笑了一下，叶慎宽眼锋一锐，手上立时加劲，狂怒："你也配跟守守谈恋爱？你这个花花公子！你凭什么这样对守守？她还是个小孩子，她什么都不懂！"

纪南方脱口说："我是真心对她。"

谁知叶慎宽依旧恶狠狠一拳挥下："你有什么真心？！你这个口蜜腹剑的东西！守守还是个小孩子！你也下得了手！"

守守拼命拉叶慎宽："大哥！别打了！大哥……"

不知为什么，纪南方这次却不躲闪了，任凭他拳打脚踢。守守见叶慎宽毫不留情，一拳比一拳狠，只怕真要闹出人命来，急得快要哭了："大哥！大哥！"

叶慎宽筋疲力尽，终于放开了手，恶狠狠地说："纪南方，你给我等着，看我怎么收拾你！"

他拽起守守："跟我走！"

守守被他拖着跟跟跄跄往外走，急得叫："哥，你让我换件衣服。"

叶慎宽也是气昏了头，看看她身上的睡衣，终于松手放开她。守守却几步跑回纪南方身边，蹲下来看他鼻青脸肿一动不动地躺在那里，不由得惶急："纪南方！纪南方你没事吧？"

他动弹了一下："死不了。"

叶慎宽大怒，几步走回来拖起守守，一把又揪住纪南方的衣襟："你还敢跟她说话！你要敢再碰她一下，我揍死你！"

"你揍吧！"纪南方竟然咧开嘴笑了笑，满不在乎，"反正我跟守守在谈恋爱，不仅在谈恋爱，我还要跟她结婚。你要怎么揍就怎么揍，随便你！"

叶大公子一时竟愣住了，过了半晌才转过念头来，抓着纪南方的衣襟："你要敢不娶守守，我再揍死你！"

他突然转了180度的弯，纪南方不由得"嘿嘿"地笑起来。

叶慎宽本来怒不可遏，看到他鼻青脸肿还笑得这么高兴，不知道为什么，一股气终于渐渐平了，再瞧瞧纪南方要死不活的样子，似乎真被自己打重了，于是将他拉起来："还装什么死？"

纪南方被触到伤处，疼得直吸气："大哥！你下手也太狠了！"

这声"大哥"叫得恰到好处，叶慎宽想想从此趾高气扬的纪三要叫自己大哥，心情顿时舒畅起来，一张脸却仍旧板着："这是轻的，你要敢对守守不好，你就等着吧。"一扭头却看到守守跑进了卧室，砰一声就把门关上了。

"愣着干吗？"叶慎宽立刻提醒未来的妹夫，"快进去哄哄啊！"

见纪南方不动，叶慎宽只是恨铁不成钢："平常你不挺能哄女孩吗？快去说两句好听的，别让守守哭。要不我先走，省得守守觉得难为情。"走出了两步又觉得不对，回头又对纪南方说，"过两天我再跟你算账！"

他来得快，去得也快，说走就走了，还把大门都替他们关上了。

守守伏在床上没有动，纪南方想上次亲了她就哭成那样，这次祸闯大了，还不知道她会是什么反应。

所以想了又想，才低声说："守守，别睡了，我带你出去吃饭吧，都快十二点了。"

守守本来没有哭，只是出了身密密的汗，伏在那里一动不动。

纪南方于是胆子大了点，凑近了说："要不你打我吧？打我一顿怎么样？"

守守只觉得烦，他偏偏还真凑过来："反正我刚才被你哥揍了，你要打就一块儿来，省得我刚把伤养好，你又想起来要动手。"

守守觉得他这样嘻皮笑脸，实在可恶到了极点，翻过身来就将他一推："你给我走开！"

这一掌正好推在他鼻梁上，他鼻梁本来就是青的，忍不住"哎哟"了一声，捂着鼻子："你还真打？"

她伸腿又踹了他一脚："叫你走开！"

他死皮赖脸："你哥刚才把我打重了，我都有内伤了，走不动了。"

守守认真生起气来："是吗？你哪儿有内伤了？"

"你先看看我这外伤，"他指了指自己的脸，"内伤哪能看出来，你看我这外伤就知道我内伤不轻了。"

叶慎宽下手还真没留情，他脸上红一块紫一块，还有她指甲抓伤的长印子。她模糊记起一点昨天晚上的情形，脸上顿时发热，突然又把他踹了一脚："你走开！"

他没有走开，反而把她搂进怀里，她挣扎得像只在水塘里扑腾的小鸭子，但他力气很大，把她箍住了，他低下头说："守守，我们结婚吧。"

守守蒙了好一会儿，才问："为什么？"

他似乎也有点蒙，过了会儿才说："我们当然要结婚，不然我怎么跟你们家交代！"

守守狠狠又踹了他一脚："你去死！"

这是她能骂出来的最狠的话了，从小她被管得太严，连骂人都找不出来更难听的词。

"守守……"他像哄小孩一样哄着她，"跟我结婚吧，咱们两家知根知底的，你父母一定会放心的。"

结婚？

南加州的太阳似乎还刺目地闪耀在眼前。易长宁乌黑的眼珠隔着显示器看着她，微蕴着一点笑意，仿佛什么都没有变。

可是她再也等不到他了。

他不会再回来，更不会娶她了。

那么这辈子她嫁给谁，还不都是一样？

是的，她反正迟早要嫁给别人，因为易长宁已经结婚了。

心灰了，于是意冷了。

结婚就结婚吧，纪南方说得对，纪家与叶家是世交，知根知底，起码父母一定会放心的。

况且，他可以跟别人结婚，她为什么不？

她脸色疲倦得近乎苍白，长长的睫毛垂下来，眼底仿佛有两团阴影。纪南方觉得很心疼，怕自己逼得太紧了，于是说："要不我们先等一阵子，先订婚，明年再结婚，好不好？"

不，她不要再等了，因为他真的不要她了，再不回头了。既然人生已经是天堑难逾，那么不如索性斩断最后一丝妄念，她不要再等了，她永远不要再等他了。

她说："我想今年结婚，马上。你妈妈不是很着急吗，老催你结婚？"

他前头有两个姐姐，他是家里最小的一个孩子，也是唯一的儿子，一过了二十五岁他妈妈就着急，急了这一两年了。

纪南方疑惑了一下，不过跟这样的好运气对着干不是他素来的作风，于是他很高兴地说："那就不订婚，直接结婚！我今天就回家跟老头说，他一准高兴。"

搂着守守又使劲地亲了一下："你爸爸最近在家吗？要不叫我们家老爷子先跟他通个电话？算了，我还是先回家跟我爸说。"

守守只见他喜滋滋地笑，还是鼻青脸肿的，说不出的滑稽可笑，终于忍不住："你这样子回去见谁啊？跟猪头一样！傻乐！"

纪南方见她笑了，顿时心花怒放："猪八戒要娶媳妇了，能不乐吗？"

守守听到"八戒"两个字，心中顿时如刀割一般，脸上的笑也慢慢淡了，可纪南方没注意，光顾着亲她了。

出乎守守意料的是妈妈，她接到电话后直接从珠海赶回来，一下飞机就把守守叫回家去，神色凝重得几乎是严肃："你和纪南方的事，我们不能同意。"

守守抬起头到处找父亲的身影。

"不用找了，你爸爸在福建开会，他的意见和我一样。"

"妈，你为什么不同意？"她有点苦恼，"你们到底为什么？"

"你才二十一岁，没必要这么早结婚。再说，你还要出国念书，哪有这么早嫁人的。"

"我不想念书了。"

妈妈叹了口气："守守，你还小，这么早决定终身大事，太草率了。等再过几年不行吗？合适的对象有很多，等你把书念完，到时候再慢慢挑。"

"妈妈，就算再等几年，你所谓的合适对象也不过那几个人，不是爸爸战友的儿子，就是舅舅同学的儿子，你们反正是不会让我嫁给别人的。纪南方样样符合你们的要求，你们为什么不同意？"

"守守，你这是在跟妈妈说话吗？"

守守把脸转开去，母女两个僵持好久。宋阿姨走过来端上木瓜雪蛤给她妈妈，笑眯眯地说："守守，你不吃雪蛤，厨房炖了燕窝，吃一点好不好？"

她知道宋阿姨是在给她找台阶下，但她性子拗上来，噔噔几步上楼去，把自己关到卧室里。

没一会儿手机响起来，正好是纪南方，她心情正恶劣，根本不愿意接。

手机响了好久终于停下，房间里的座机电话又接着响起来，她一看是红色那部，知道一准还是纪南方，可是电话不屈不挠，响了又响。她把枕头捂住耳朵都没有用，只好恨恨地起来接："纪南方！我告诉你，我爸妈不同意！你到我家来彩衣娱亲也好，愚公移山也好，负荆请罪也好，反正你自己想办法，我不管了！"

一口气说完，电话那头的人笑起来，她才有点讪讪的："爸爸……"

"行啊。"叶裕恒笑得很愉悦，"既然那小子真要娶我女儿，叫他先来彩衣娱亲、愚公移山、负荆请罪吧。"

她娇嗔："爸爸！"

"这么大的人还撒娇，害不害臊？"

她在电话里哼哼唧唧，索性撒起娇来，从小就是这样，因为比起妈妈来，叶裕恒其实更溺爱她。

"昨天南方的父亲给我打电话了，谈了谈你们俩的事。其实他的意思跟我一样，你们还年轻，尤其你，大学都还没毕业，不用急着结婚。你们要是想确立关系，不如先订婚吧。"停了停，又说，"守守，爸爸是想多留你两年，你是爸爸的小公主，爸爸不舍得这么早把你交给别人。"

她只觉得心酸，其实她出生的时候父亲还在广州，后来工作又特别忙，她很少可以看到他。但爸爸就是爸爸，像天下所有的父亲一样疼她，叫她"小公主"，除夕的时候把她顶在肩上放烟花，出国回来带给她别致的礼物。等她去了英国，爸爸每次去欧洲，总会特意绕道去看她。

最后叶裕恒说："等爸爸回来，你带南方来家里，我想听听南方自己的意见。你听话，别跟你妈妈怄气，她其实也是为你好，你还年轻，许多事情不懂得，这样匆忙要结婚，她是怕你将来后悔。"

她胸口还隐隐作痛，因为她自己知道，这样急急忙忙想把自己嫁掉，是为了什么。

她心里发酸："爸爸我都知道，你放心吧。"

晚上的时候妈妈亲自上来敲她的门："守守，吃饭了。"

她不做声，把门打开，跟妈妈下楼去餐厅。

有守守最喜欢的花蟹炒年糕，一看便知是妈妈下厨做了这个菜。这几年工作忙，她妈妈很少亲自下厨房了。所以守守一点气全没了，很高兴地吃了一碗饭，还喝了一碗汤。

盛家的习惯是吃完饭要散步，外面气温太低，于是守守陪妈妈去了花房。

全玻璃的花房，用了供暖系统和滴灌系统保持温度与湿度。其实说是花房，这季节却种着西红柿与小黄瓜，每次外人有幸见着都觉得大跌眼镜，因为活脱脱像蔬菜大棚。

黄瓜不过一指长，细细的，绿莹莹很可爱，守守喜欢摸上头的毛刺，摸完这条摸那条，弯腰在叶子底下翻西红柿，看哪只红了就摘下来，快活得像回到小时候。

妈妈弯腰同她一起找："别碰那黄瓜，看你爸爸回来不找你算账！"

守守问："妈妈，你是怎么嫁给爸爸的？"

"你不是都问过好多次了吗？"

守守有点气馁："难道真是为了一条黄瓜？妈妈你也太好骗了。"

守守的妈妈站起来微微笑，盛家的女儿都是出了名的美，守守妈妈亦有一双乌黑沉静的大眼睛，遗传自守守外婆姣好的容貌。她若有所思："你爸爸对我很好，我觉得他就是我要找的那个人。"

守守觉得心酸，她也找到她要找的那个人，只不过那个人却不要她了。

"你爸爸是家里最小的一个儿子，你爷爷很宠他，听说我是盛家的女儿，大发雷霆。说放着那么多根正苗红的好姑娘不要，为什么偏看上一个'资产阶级大小姐'？那时候'文革'刚结束，大家都是惊弓之鸟，你爷爷的顾虑其实有他的道理，可你爸爸不听，差点要闹家庭革命。他半夜翻墙想出来见我，结果被发现了，你爷爷气得把他发配到南沙，就是那个小得在地图上找都找不到的小岛。我那时候还小，不过十七岁，除了会掉眼泪，什么都不会。可是你外婆支持我，给了我四十块钱，我就带着那四十块钱，坐了四天三夜的火车，一路直奔南海去了。最后终于寻到部队，人家却不让我去岛上。我那时候不知道为什么胆子也大了，我说我是叶裕恒的对象，千里迢迢来看他，难道就不能让我见他一面？

"后来他们领导松了口，让我搭补给船去岛上。船小浪大，我连胃都快吐出来了。等到了岛上，船还没靠岸，我人就已经晕过去了。最后听说是你爸爸跳上船把我抱下去的，后来等我醒过来，就只看到你爸爸坐在床前望着我笑。那样子，要多傻有多傻。

"他问我想吃什么，我那时就想吃黄瓜，可岛上哪有黄瓜啊？补给船带来的都是必需的淡水和罐头，岛上一年到头也吃不上一点蔬菜，你爸爸去了几个月，嘴角全烂了，没有淡水洗澡，皮肤到处长癣……可他满不在乎。他越不在乎，我越在乎，回去的时候我哭了整整一路，我想我是真的错了。我回来后就去见你爷爷，我说，您把他调回来吧，我以后再不见他了就是。然后我给你爸爸写了一封信，说我另外谈了一个对象，要分手。

"你爸爸再给我寄信来，我就一封也不看了，全都锁起来。他回来后找我，我也不见他了。他在外头捶门，我在里头哭，最后他终于走了，再没来过。没两年政策好转，我跟你大舅舅去了香港。我想这辈子大约不会再见到他了，等再过几年，他也许会跟别人结婚了。

"后来有一年我回来过年，却又遇到你爸爸。那时候他真的已经死心了，就差一点跟别人结婚了，没想到还能再见到我。你爸爸带我去看他种的黄瓜，他说，我连种黄瓜都学会了，你还不肯嫁给我吗？"

守守觉得这一刻妈妈特别漂亮，站在架子下，微笑着抚摸着那绿莹莹的小黄瓜，仿佛一手抚摸着幸福，脸上只有一种宁静和谧的光芒。往事就像是埋藏在深远岁月的陈酿，散发着醇香甘甜。

"守守，妈妈只是希望你不要草率决定，爸爸妈妈给你取了这个'守'字，是希望你可以守望到自己的快乐，守望到幸福。纪南方各方面条件是还不错，咱们家里又跟纪家有三代交情，按理说爸爸妈妈应该答应你们，但妈妈还是希望你慎重，你太年轻，不要轻易做出冲动的决定，以免错过真正的幸福。"

【十】

淡淡的太阳正好照在脸上，坐在对面的江西用的是Chanel新款口红，一点点浅淡的红，仿佛桃花开尽，淡薄得连春光都是袅袅晴丝，其实还是冬天。守守有点恍惚，很奇怪自己为什么会想着这些不相干的事，耳朵里有轻微的嗡鸣，明明江西刚才说的是："易长宁回来了。"

她仿佛都有点无动于衷。

她今天坐计程车过来的，江西问："要不要坐我的车回去？"

守守摇头："不用了，我一会儿叫司机来接，我今天回家。"

因为今天是周六，约好了这天回纪南方父母家，旁枝末节、不相干的事情，偏偏记得这样清楚。江西先走了，她坐在咖啡厅里，发了一会儿愣，才拿了手机给纪南方打电话。

响了好久没有人听，她正打算挂掉，他终于接了："守守！"

他呼吸有点急促，带点微微的喘息，电话信号也不算太好，可以听到一点刺啦刺啦的杂音，她不由得问："你在干什么？"

"泡温泉。"他似乎长长舒了口气，心情很愉悦的样子，"怎么了？想起来给我打电话？"

"今天周六，这个月第一个周六，说好了回家去吃饭。"她很有耐心地提醒他。

"啊？"他似乎有点诧异，"完了我忘了，我这会儿在日本呢。"

这人！

守守气得要命："你怎么这样？说好的事情你一点儿也不放在心上，你到底怎么回事你！"

"好好的你发什么脾气啊？"他说，"反正我也回不来了，要不你给咱妈打一电话，就说我临时有事，出差了。"

"纪南方，我们离婚吧。"

电话那端静默了几秒钟，过了一会儿他才笑："你又怎么了？我错了还不行。上次你说什么来着，巧克力对不对，我让人在比利时订了，这两天就该送过来了。"

"我是认真的。"她觉得有点累，咖啡厅里低低的音乐，放着一首法文歌，弥漫着单词与旋律，她下意识想要分辨歌词唱的是什么，但是听不太清楚，只可以清楚地听到自己的声音，仿佛带着深重的倦意，"等你回来我们再谈吧。"

她把电话挂了，几乎是马上又响起来，纪南方又打过来，守守懒得接，把电话关掉了。

她打电话回纪家，撒谎说自己跟纪南方都出差了，纪妈妈倒没有说什么。守守不想回自己父母家，更不愿意回跟纪南方的那个家，想了想最后去了宿舍。

她给自己泡了杯热茶，站在朝西的阳台上，看落日。

很大很圆，橙色的一枚太阳，夹在楼缝中间，缓缓地降下去，像是一只咸咸的鸭蛋黄。守守突然想吃点白粥，于是洗了米，自己煮。

她不太会做饭，但厨房里还是有几样简单的餐具，把米放进电饭煲，加上水，然后按下开关，最后坐在料理台前，开始发呆。厨房里很整洁，家政公司每周来两次打扫卫生，料理台上一尘不染，连墙壁上的瓷砖也擦拭得干干净净。

她其实认真学过煲粥，用砂锅，细火慢熬，将米粒熬至化境，入口即融。可是从来也没派上用场，不等她熬粥给易长宁品尝一次，他们已经分手了。

这样快，什么都来不及，偶尔回想起来，她一直觉得，那段日子就像是做梦一样，因为太美好，所以像梦境，第二天早晨醒来，于是什么都没有了。

睡觉的时候，齿间似乎犹带着一点粥米的香气，其实已经刷过牙了。这里的家具都没有换，还是她刚来实习时添的几样，床很小，但很舒服，所以她偶尔也会留在这里睡。暖气很暖，她将身子蜷起来，不一会儿就睡着了。

被电话吵醒，原来天早已经亮了。她拿起手机看又是纪南方，不由得问："你又想干什么？"

"守守，你不在家？在哪里？"

"宿舍。"

他笑起来："我就猜你在宿舍，我送的花你收到没有？"

"什么花？"

"花店还没送到？"他有点诧异，"我再打电话催催！"

正说着门铃响起来，她想一定是花店："你等下，有人按门铃。"她没把电话挂断，抓了件外套穿上，走出去看了看可视门铃，果然是硕大无比的郁金香花束，连送花人的脸都挡住了。

她打开门准备签收，然后在电话里告诉他："花已经送来了。"

"我知道。"花束移开，露出纪南方的笑脸，"惊不惊喜？"

守守既不惊也不喜，只问："你怎么回来了？"

"你说呢？你也太笨了，我妈怎么会相信我们俩同时出差？她认定我干了什么坏事把你给得罪了，所以在电话里就把我训了一顿，害得我连夜赶回来。"

"纪南方，是你自己把回家的事忘了，你凭什么来指责我？"

他笑着凑近了看她的脸色："哟，真生气了？我请你吃饭好不好？你睡到现在还没吃饭吧，都要吃午饭了，回头又说胃疼。"

他唯一的优点就是能容忍，她生气的大部分时候他都可以一笑了之。

其实是因为他仍将她当小孩子，懒得跟她一般见识。

她是真的饿了："你等下，我换件衣服。"

她走进卧室去换衣服，把外套脱了，刚拉开衣橱门，没想到突然被人拦腰抱住，竟然是他跟进来了，灼热的吻就落在她耳根后，她用力挣了一下挣不开："纪南方你干什么？"

他不理会，仍旧细密地吻着她的耳垂，温热的呼吸喷在她颈中，手也不老实，隔着薄薄的睡衣开始往上移。她真的生了气："纪南方你少发疯行不行？"他把她的脸扳过来亲她，她只好用力咬在他嘴唇上，"我要去吃饭，我饿了！"

他仿佛喃喃："我也饿……"她背后就是衣橱门，他将她按得很紧，胳膊丝毫不能动弹，他呼吸急促，她越挣扎他把她按得越紧，他亲得越来越深，渐渐往下滑，亲她的颈窝，她渐渐觉得慌乱，幸好腿还可以动，于是使劲踹了他一下："放手！"

这一脚踹得很重，他半晌没有动，她觉得有点歉疚，连忙说："你刚下飞机一定很累，要不你先回去洗澡换衣服，有话我们明天再说。"看他不说话，忙又说，"要是你不想回家——反正有地方去，对不对？"

他没有动，她一时有点担心，他不会真生气了吧？

过了一会儿，他终于放了手，若无其事地说："算了，要不咱们先上你家吃饭去吧，好长时间也没陪爸妈吃饭了。"

事先没打过电话，结果叶裕恒和盛开都不在。宋阿姨笑眯眯地说："你爸爸这两天都在开会，你妈妈前天就去瑞士了。对了，你们在家吃午饭吧，今天天津送了紫蟹来，南方不是最爱吃那个？配上酸菜银鱼，我叫厨房给你们做个火锅。"

"别麻烦了。"守守倒觉得松了口气，"我们正好过去那边吃。"

宋阿姨笑道："什么这边那边，你这孩子说话就是不留神，下次在你妈妈面前说漏了嘴，她又要教训你。"

幸好离"那边"也不远，开车不过半小时。纪南方的父亲不在家，纪妈妈也不在，因为纪南方的姐姐纪双双怀孕七个多月了，结果出现早产征兆，纪妈妈临时赶往加拿大去了。

纪南方有点悻悻："都不在家，白回来了。"

"说这些干吗啊？快给妈妈打个电话吧，看姐姐怎么样了。"

他冲她笑："行啊，你这儿媳妇当的，贤惠。"

还是这样油嘴滑舌，她忍不住把他推了一把。纪南方去打电话给纪双双的丈夫，他正在医院急得团团转："妈妈还没到，医生说必须马上手术，不然恐怕有危险。"

纪南方只能尽量安慰他，隔着几万里，什么忙也帮不上。等把电话挂了，纪南方只觉得好笑："平常看姐夫挺稳重的，今天连说话的声音都在发抖。"

"老婆要生孩子，他还不着急，那还是男人吗？"

纪南方难得看到守守这么高兴，于是也很高兴："咱们先吃饭，你早饭都没吃，还不饿啊？"

是真的饿了，胃口大开，吃掉很多，最后阿姨端了甜品上来都吃不下了，她坐在沙发里抚着胃说："唉，真的撑到了。"

纪南方坐在她旁边，随手拿了遥控器开电视，听到这话瞥了她一眼，才说："一睡就睡半天，又能吃，跟猪一样。"

"你才跟猪一样。"她跟他抢遥控器，"看我们频道！今天火箭对小牛。"

"一群傻大个抢一个球往框里扔有啥好看的？"

"我喜欢看！"

"哼，什么喜欢看，你就是迷恋流川枫。"

没想到连这他都知道。她上小学那会儿正是《灌篮高手》如火如荼的时候，她把动画片翻来覆去看了好多遍，每次流川枫一出场她就恨不得学漫画人物，冒着心心眼，拿着彩带挥舞："流川枫！我爱你！流川枫！我爱你！"所以这么多年来始终如一地喜欢篮球，连进电视台实习，也毫不犹豫选了体育栏目。

还是很有手足之情，哪怕这三年来的婚姻生活再不堪，但作为一位手足，他还是非常合格的。

所谓不幸中的万幸。

他们很少回家，更少在这间偏厅里看电视，结果她找了一圈没找到频道，于是很沮丧地把遥控器扔开，说："纪南方，要不我们去后面游泳吧。"

纪家有一个非常好的恒温游泳池，十几年前恒温泳池还是比较少的，所以小时候一群孩子常常在这里游泳。很热闹也很好玩，对于守守来说，这里有着很多快乐的童年记忆。但他却说："要游你一个人游，我不去。"

她小时候被水淹过，所以从来不敢一个人游泳，非要有人陪才敢下水。于是摇着他的手臂："一起去嘛，难得爸妈不在家，他们在家我都不好意思用游泳池。"

他脸色不知道为什么有点难看："我不去，我要去洗澡。"

确实，他下了飞机还没换衣服。她说："要不我在这儿等你，你洗完澡我们再去。"

"叶慎守！"他突然发了脾气，"你既不让我碰你，又处处招惹我，你到底什么意思？"

她呆了一呆，似乎完全没想到他会这样说。

他与她之间的问题由来已久，冰冻三尺，非一日之寒，而且他又不缺女人。

她一想起来就觉得背心里直渗冷汗，从蜜月开始她才知道，她可以强迫自己忍受很多事，却唯独没有办法忍受这个，不论是生理还是心理，几乎都无法接受。虽然之前有过一次，但那次她醉得几乎不省人事，什么也不记得，只记得疼。而两个人真正的新婚之夜简直是糟透了，纪南方一碰她她就紧张得全身发抖，起初她还想忍，但最后却恶心得不得不冲到洗手间去呕吐，他只好放过她。

好在第二天两人就动身去度蜜月，目的地是最梦幻的蜜月胜地大溪地——玻利尼西亚群岛，仿佛一把翡翠珠子镶嵌在南太平洋上，碧海银沙，椰风树影有如仙境。

白天过得非常逍遥，纪南方教她潜水、钓鱼，玩帆船。两个人赤足并肩坐在茅草屋的玻璃地板上大啖热带水果，玻璃地板下就是湛蓝透明见底的海，无数小鱼游来游去。他们甚至骑着自行车去喝椰汁，真有点蜜月的样子，在这个美如天堂般的岛屿上。

到了晚上却简直是地狱，他很努力地想让她喜欢，她也很努力地尝试接受，但结果永远是两个人都狼狈不堪。

蜜月很失败，新婚依然失败。她从起初的隐忍到最后几乎是本能地抗拒这件事情，他耐心地试了差不多一年，从最开始的努力到后来的沮丧、发脾气、冷战……两个人的耐性都消磨殆尽，到最后他终于不再每天回家，偶尔回来，她也总想法子跟他吵架，把他气走。

也许是灰了心，他果然很少再烦她，渐渐很放肆地在外面玩，比婚前更明目张胆。她偶尔撞见过几次，圈子太小，来来去去都是那几个俱乐部或者餐厅。第一次撞见有点尴尬，后来渐渐习惯了，两个人非常有默契地应付双方父母。叶慎宽终于发觉后，先是勃然大怒，将纪南方狠狠收拾了一顿，然后又语重心长教训守守，但他们两个一转头照样演戏给全家人看，最后连叶慎宽都懒得再管，其他人更不会多事了。

纪南方还是挺给她面子，从来没教她为难，唯独让她收拾了一次残局。其实是意外，八点档桥段，有个叫朱凤紫的女人竟然找她喝咖啡。

她比对方镇定许多，耐心地听完，然后面带微笑地告诉那容貌秀丽的女子："朱小姐，你说的这些我相信都是真的，我也认为你并没有骗我，你确实怀孕了。不过，世上解决这种麻烦的方式有很多，我相信你能够做到。你来找我谈，我除了钱也没有别的给你，手术费跟营养费的话，二十万够不够？或者三十万？不好意思，纪南方以前挺注意的，从来没让我有机会碰到这种事，所以我不太知道行情。"

朱凤紫反倒泪流满面："我爱他，我要把孩子生下来。"

她端起咖啡来漫不经心地呷了一口："如果你真的爱他，我就劝你不要那么做。因为你这样做，只会令他愤怒。"

其实那朱小姐长得真漂亮，哭起来楚楚动人，举止也很优雅，仿佛出身并不差，而且有办法能来见她，也算有本事了。只见那朱小姐含泪说："我并不是想要别的，我只是想把孩子生下来，哪怕没有名分。"

几乎是椎心之痛，守守连呼吸都微微急促，她的手在微微发抖，自己也知道即将失控，放下咖啡，说："朱小姐，如果你真不想要别的，你就会独自悄悄把孩子生下来，绝不会约我见面了。你从一开始就知道他已经结婚，却依然心存侥幸，你早应该清楚地知道跟他在一起的后果。你口口声声爱他，但真的爱一个人，是不会计较利益得失，不会计较他会回报你多少爱，更不会用一个生命去胁迫他。恕我坦言，朱小姐，你其实没有你自己想像的那样爱他，你不过是自欺欺人，所以你才会觉得不满意，所以你才会来找我。你口口声声是为了爱情，不过是为了一己私欲！至于你肚子里的那个孩子，我真是可怜他！可怜他不过一个胚胎，却被你当成谈判的砝码。你愿意把这孩子生下来就生下来，如果你有胆量、有勇气面对纪南方的怒火，如果你有胆量、有勇气挑衅纪家与叶家，你就尽管把这孩子生下来！"

她拂袖而去。

出了咖啡厅就给纪南方打电话："你怎么回事？那种不知进退的女人你还去招惹，你就不能找个识趣点的？"

他一时还有点反应不过来："什么女人？"

"姓朱的那个。"

他很意外："她去找你？你别生气，你在哪里？我马上过来，你别理她。"

"你不用过来了，我已经叫司机来接我了。纪南方，第一次我原谅你，如果下次再让我面对这种麻烦，别怪我不客气！"

那天晚上他很早就回了家，倒没有一点惭愧的样子，只是很坦率地告诉她："我被她算计了，对不起，守守，我保证没下次。这件事我会好好解决，你放心。"

她只觉得恶心，那种反胃的感觉又涌上心口，唯有厌恶："别留下后患。"

他不过笑了笑。

当然没有后患，她再没有听说过有关朱小姐的任何事情，纪南方真正发怒时很可怕，她见识过他的手段，当然是对别人。他说到做到，从那以后再没有让类似的意外来打扰她。他照例万花丛中过，片叶不沾身，两个人就这样不愠不火在旁人面前演着戏，仿佛真可以过一辈子。

当时

【十一】

两个人算是吵了架，其实他们如今连吵架的机会都很少，十天半月见不着面，纪南方又不太爱答理她，吵也吵不起来。

像这样的冷战，也算难得。

他气得从家里直接走掉，把她一个人扔在那里，幸好阿姨告诉她纪妈妈的司机在家，于是她让司机把自己送回公寓去。

公寓是婚后她自己买的。本来她很喜欢宿舍，但结婚后不方便经常回宿舍，楼上楼下都是同事，出入很惹眼。所以她跑去找雷宇峥："二哥，我同学想买房子，能不能替我找一套好点的？"

雷二公子叫过助理来吩咐两句，结果那八面玲珑的助理立马给她在市中心最紧俏的楼盘挑了一套酒店式公寓。地段、朝向、楼层、大小、房型、设计无一不令她满意，估计价格也不菲，好在她刚结婚，哥哥们个个送了大笔礼金，钱不是问题，于是问："总价多少？"

雷二公子哭笑不得："妹妹，你就饶了我吧，只要你看得中就行。我要是管你要钱，回头还有脸见人吗？"

"那可不行。"她说，"是我同学买，又不是我，你要给面子，就打个折得了。"

结果好说歹说，她以三折的价格买下那套公寓，狡兔三窟，总算也置下了一窟。

到公寓后才发现调成震动的手机有五个未接电话，全是纪南方的，倒把她吓了一跳，以为出了什么事，连忙拨过去。结果响了很长时间没人接，等终于有人接了，却是个女人，一听到她的声音，就非常不客气地问："你是谁？"

守守觉得有点好笑："如果方便的话，请帮我叫下纪南方。"

结果对方咄咄逼人："你到底是谁？"

没想到纪南方最近品味越来越差，守守决定吓唬吓唬她，一本正经地告诉她："我是纪南方的保健医生，麻烦告诉他，检验报告已经出来了，请他立刻回电话给我。"

"什么检验报告？"

"我不方便透露。"她非常严肃地说，"请他尽快给我回电。"

说完就把电话挂了，一个人倒在床上狂笑，笑了不大会儿，纪南方的电话果然打过来了，竟然没发脾气，仿佛连声音还透着几分笑意："你很闲？"

"纪南方，是你先惹我。"

她还没忘记他们两个是在吵架，而且是他先给她打了五个电话。

"我没给你打电话。"他口气冷淡下去，"是手机碰到了重拨键。"

"那算了。"她正打算把电话挂掉，他却告诉她："等一下，忘了告诉你，姐姐刚刚剖腹产，生了一个女儿。"

"啊！太好了。姐姐怎么样？孩子一定很可爱。"她最喜欢小孩子，圆滚滚肉乎乎多好玩。从来家里就数她最小，好容易几个表哥陆续结婚有了孩子，却统统在国外，她都没机会玩小孩，哪像叶慎容，从小把她当成玩具。

他说："母女平安，不过妈妈可能要留在那边一段时间。"

他们短期内不用按时回家应卯了，想到这个更高兴了。

"几时有空我们过去看看姐姐和孩子吧。"

他却似乎有点不太高兴，只敷衍她一句："到时候再说。"就把电话挂了。

算了算了，他们还在吵架。

年底了，综合类总结性节目更多，助理跑题材去了，于是她自己下楼去拿几份资料。拿了带子出来又等电梯，却久久等不到，无所事事，低着头只管看地砖上的花纹。

电梯"叮"一声响了。

双门缓缓打开。

易长宁永远也忘不了这一幕，电梯门缓缓打开，视线越来越宽阔，而她慢慢抬起头来，仿佛电影中的慢镜头，徐徐地，从容不迫地，如同被命运双手捧上，他最秘密的记忆珍藏，就那样重新出现在他面前。她穿件白色的短袖毛衣，底下是黑色的开司米长裤，黑色镂花平底鞋，显得身姿楚楚，剪了短发，仿佛还是学生样子。其实气质不同，穿衣的风格也有变化，以前她从不穿这类衣服，现在却很有女人的娇丽妩媚了。仿佛一朵菡萏，从前只是箭簇般的含苞，如今已经绽放开来。

有暗香浮动，他神色恍惚，只不过三年，那朵莲花却幽然绽开，原来躲不过忘不了，一直在那里。

她一动不动站在那里，走廊里光线明亮，她周身仿佛都笼着一团光晕，他看不清她的脸庞，而她的整个人都显得并不真实。

"小叶，你上去还是下去？"

电梯里的同事问她，她终于说："我上去。"

同事按着开门键只管催："那快进来。"

她走进电梯里去，同事替她介绍："这位是易长宁先生，我们这期节目的访谈对象。"

她冲他点一点头，非常礼貌地说："你好。"

她从来没有想过再见面的情形，仿佛这个人早已经从这世上消失掉。连江西跟她提起来，她都觉得没有什么，因为痛到了极处，唯有选择遗忘。正如当人体遭受巨大的痛苦时，就会失去意识晕厥过去，因为负荷不了那样的刺激，所以选择了让神经元暂时罢工，那是大脑的本能保护机制。

她面朝电梯门站着，易长宁站在她身后，只能看到她一截雪白的颈子，有绒绒的碎发浮在上头，仿佛只要轻轻呼口气，那些碎发就会微微飘起来，而只要他轻轻吸口气，那种幽淡的香气就会沁入心脾，渗入五腑六脏，再难拔除。

不过片刻他就有窒息的感觉，幸好电梯停下来，她走出去，礼貌地转过身来说："再见。"

不知是对同事说，还是对他说。

守守几乎没有表情地走进办公室，电脑旁放着一盆小小盆栽，是江西送给她的滴水观音。冬天里绿叶好像有点发蔫，她拿了小壶来浇水，仔细地往叶子上喷营养液。

然后坐下来，泡杯杏仁茶。这是宋阿姨在家替她做好的，只一冲就可以了。一匙糖，两匙糖，她很爱吃甜，幸好外婆从小按时安排她看牙医，出国后叶慎容管她管得更紧。长智齿的时候她痛得死去活来，第一次明白了什么叫疼起来不要命，眼泪汪汪地去拔智齿，喝了整整三天的粥，但三天后立刻生龙活虎，重新做人。

这世上什么伤都可以痊愈。

她喝完杏仁茶，又跟另一个编导交流意见，然后看片子，选资料，几乎把一周的事情都做完了。

走出大厦的时候，才发现天色早已经黑下来。

路灯已经亮了，无数盏射灯影灯投映在大厦上，勾勒出建筑伟岸的轮廓。林荫道的法国梧桐落尽了叶子，路灯下似寂寞的卫兵，排列整齐，而不远处就是主干道，车声呼啸，隐约如轻雷。

她走出西大门才想起来，自己忘了打电话叫司机来接，刚拿出手机来，却看到路边有部再熟悉不过的车子。

黑色的道奇，他开惯了的美国车。

守守没有停，接着往前走。冬天的夜晚很冷，她口中呼出大团大团的白气，他的车不紧不慢地跟在她后头。守守走出了一身汗，给纪南方打电话，他的手机却关机。

听筒里的女声一遍遍重复："对不起，您拨打的电话已关机，请稍后再拨。"

中文说完，又是一遍英文，英文说完，再重复中文……守守觉得脚发软，再也走不动，而手也发软，终于挂掉电话，转过身来。

他已经下了车，站在车旁。

路灯的颜色是橙黄，撒下来似细细的金沙，而他穿灰色大衣，领带是银色，整个人仿佛一棵树，挺拔地立在那里。

守守觉得脸上笑得很僵，可是还是笑出来了："你好。"

这是他们见面，她第二次说"你好"了，没有在电梯里那般从容，也许是因为天气冷，她的声音听起来有点涩，像是小提琴的弦突然走了音。

他不知道该说什么好，因为一切都已经无从说起，这城市冬季的冷风呛进他鼻子里："守守，我送你。"

守守却像是下定了什么决心："要不我们去喝杯咖啡吧。"

咖啡馆里很安静，灯光明亮而温暖，适合说话。一杯拿铁喝完，他都没有开口，守守反倒说了很多："这几年我挺好的，大学一毕业就结婚了，工作也挺顺利的。妈妈本来还想让我读书，但我不想再念了。我爸爸跟我开玩笑，已嫁从夫，南方要是答应你不读了，你就不读吧。南方——他是我丈夫，做投资管理的，在一家外资公司任董事。他爷爷是我爷爷的战友，原来我们两家关系不错，小时候还曾住在一个胡同里，常常在一块儿玩……"她笑了笑，"其实我也没想到会那么早结婚，江西她老说我没出息，只晓得玩。江西跟我一个单位，她现在可比我风光，不过她一直比我努力，又比我能干。你这次回来几天？要不我叫江西出来，咱们一块儿吃顿饭吧，原来你老请我们两个吃饭，这次我和江西请你吃饭。对了江西有男朋友了，叫孟和平……"

"守守。"他终于打断她的话，语气十分温和地问，"你有没有吃晚饭？"

晚饭？

她有点发怔，好像还没有，但他怎么突然想起问这个？她马上说："我都是回家吃饭，差点忘了，我没给司机打电话，家里肯定着急了。"

她打电话回家去，叫司机来接自己。然后放下电话，看了看腕表："司机过来大约半个钟头就够了，我们还有半小时。"话一出口，她才悟过来自己说了什么，赶紧又笑了一笑，幸好他在低头喝咖啡，似乎有点充耳未闻。

她又陆陆续续讲了一些事，不外是工作中的笑话、跟朋友在一起的趣事。他一直不说话，她觉得有点不安，幸好没过多久司机就给她打电话，说自己已经到了。

"我马上出来。"她挂了电话就拿起包包，有点歉疚地对他说，"我要走了。"

他按铃叫来侍者结账，刚刚取出钱包，正准备打开，忽然动作又顿住，对她非常抱歉地笑了笑："对不起，你有没有零钱？我想起来，我的卡出了点问题，刷不了。"

"没关系，我有。"

走出咖啡馆，他开车先走了。她朝前走找自家的车，迎面而来的寒风呛得她有点呼吸困难，她按着胸口茫然地走着，因为找不到方向。最熟悉的街道仿佛一下子全然陌生，寥寥的行人都是行色匆匆，她走了又走，停下来茫然四顾，周围都是黑乎乎的建筑，错落的灯光，就像陡然坠入一个迷乱的时空，她辨不出来，车子明明就应该在不远处的路口等她。

她站在人行道上给司机打电话："周师傅，你在哪儿？"

司机有点诧异："守守，你不是叫我在路口等你？我就在路边。"

"我找不到。"她只觉得自己连声音都发颤，"你按下喇叭。"

这里整条街应该都是禁鸣，但她不管了。不远处响起汽车喇叭声，她回头看，果然是家里的车子。原来不过三五十米，近在咫尺。

熟悉的一切都回来了，一切一切都回来了，建筑、灯光、方向……她熟悉的整个世界都重新出现在面前。

司机早已经下车朝她跑过来："守守你怎么了？"

她全身发抖，一时竟说不出话来，司机着急了："守守！你没遇上什么事吧？要不要我给家里打电话？守守，你怎么了？我给曹秘书打电话好不好？你这是怎么了？"

"我想回家。"

司机不敢再说什么，接过她手里的包。她只觉得筋疲力尽，上了车后才知道自己原来在抽泣。她把脸埋在掌心里，她以为三年过去，一切都有不同，她以为自己已经长大，她以为自己已经可以控制一切。

却原来，都是枉然。

司机从后视镜里望了她一眼。

"我……跟纪南方吵架……"她哽咽了一下，"你不要告诉爸爸妈妈。"

"是。"

司机专心地开车，再不注意她。她觉得很累，胃也疼，仿佛像是感冒了，浑身都发软。已经快到家了，最后一个路口是红灯，车子停下来等，她却说："掉头吧，还是回西边去。"

她和纪南方婚后的房子位于叶家与纪家的西边，所以总是用西边来代替。司机于是掉了头，又往回开。

房子很大，纪南方很少回来，所以其实很冷清。家里的阿姨还没有睡，看到她回来有点意外，连忙迎出来："守守，吃了饭没有？"

"吃过了。"她连话都懒得说，有一步没一步往二楼走。

阿姨说："那我放水给你洗澡吧，看你样子好像有点累，泡个热水澡好了。"

她确实很累，泡了澡出来，更觉得筋疲力尽，倒在床上就睡着了。

这一觉睡了很长很长时间，睡得很沉，连梦都没有做一个。有人将她抱起来，她才醒了，原来天已经亮了。窗帘被拉开了一半，太阳正晒进来。她觉得头很疼，身体发软，连声音都沙哑了："怎么了？"

纪南方有点吃力地想替她穿上大衣："你发烧，我们去医院。"

"我睡会儿就好了。"

"已经是下午两点了，你还想睡到什么时候去？今天阿姨要不给我打电话，说你发烧了，你是不是就打算病死在家里？你都二十多岁的人了，不是两三岁的小孩子，连自己生病都不知道？你怎么总是这样幼稚？"

她没有力气跟他吵架："我就是幼稚又怎么样？我愿意病死也跟你没关系！"

他把她那件大衣掼在床上，气得走掉了。

她迷迷糊糊又睡了会儿，阿姨忽然来叫醒她，说是章医生来了。守守倒有点不好意思，连忙说："请章伯伯先到客厅坐会儿，我马上起来。"

"没事，你是病人先躺着。"章医生未见其人，已闻其声，笑呵呵带着护士走进来，"你从小一生病就这样，难道在章伯伯面前还害臊？"

护士给她量体温，果然还在发烧。章医生说："应该只是感冒，你从小就这样，感冒的时候先嗓子疼，然后发烧，最后咳嗽。嗓子疼的时候你就应该吃点药啊，怎么弄到发烧？"

她有点不好意思："这两天赶节目，嗓子有点干，我以为是累的。"

"年轻人工作忙，也应该注意身体。"

章医生让护士从药箱里取了板蓝根与银翘片，然后说："洗个热水澡吧，洗澡前记得喝杯维C水。要是还不退烧，就吃点糖浆。"接着笑着说，"老三样，别看外面这个药那个针的，没我这老三样管用。"

她请了两天假在家休息，其实盛芷说得对，感冒并不需要药物，只要到了时间也会自然而然痊愈。阿姨天天给她炖鸡汤，每次吃得她一身大汗，很快就好起来了。

上班后去另一频道，找同事帮忙查份资料，无意间在他们的编导室看见那天的采访内容。财经人物专访，主持人对面的沙发上，坐着再熟悉不过的身影。

气质从容优雅，好看得一如当年。正说到："不，我不那样认为。成功对我而言，仍旧是最大的诱惑。"

这男人说"不"的时候最帅，仿佛一把刀，锋芒毕露，寒气瘆人。

捅进了你心里，好一会儿才能觉得痛。

同事见她看屏幕，于是笑着跟她开玩笑："很帅吧？EZ的执行官，才貌双全，又幽默风趣，难得一见的极品啊。"

"他有太太了。"守守也笑，"莫非你想当第二个邓文迪？"

同事很意外："啊？他已经结婚了？你怎么知道的？"

"因为我无聊，时常看八卦周刊。"

同事果然哈哈笑起来。守守觉得欣慰，她已经可以若无其事拿他来开玩笑了，是真的痊愈了，多好。

【十二】

中午下楼吃饭，在主楼里竟然遇到关夏，两个人难得碰到一起，于是一块儿去食堂吃四喜丸子，喝免费汤。虽然饭菜不好吃，但两个人都觉得像是回到大学时代，很有点缅怀的感觉。

关夏说："缅怀什么啊？你原来从来不在学校食堂吃饭，腐败的大小姐！"

"你原来更是天天吃小炒啊，腐败的文艺女青年！"

关夏哧哧笑，想起来问她："哎，要不要晚会的票？"

她向来对这类节目没什么兴趣，拿到票也都是送人了。想起家里宋阿姨的小女儿最爱看这种晚会，于是说："那给我两张吧。"

关夏下午给她拿来两张票，做工很精美，卡嵌在节目单里，仿佛纪念小型张与首日封。守守说："又换赞助商了？印刷够精良的。"

关夏毫不在意："赞助商后浪推前浪，一浪接一浪，不杀白不杀，不宰白不宰。"

活脱脱一孙二娘的口吻，守守被她逗得直笑。随手翻了翻节目单，没想到有个名字在眼底一晃，她原以为看错了，仔细看了看，果然是"桑宛宛"三个字，前面还有一行字：小提琴独奏。

优雅的花体字，精美地印在节目单上，理直气壮得如同天经地义。

她的手开始发颤，心也开始发颤，仿佛沉封已久的冰面乍然破裂，露出里面的千沟万壑，深不可测。就像回到很小很小的时候，她在海边拾贝壳，很多很漂亮的贝壳，她拎着小桶，一直拣，非常高兴。突然猛地回头一看，滔天巨浪正狠狠地朝她倒下来，像是一堵墙，冰冷的水直直地朝她砸下来，她吓得连动都动不了。冰冷的水铺天盖地地淹没了她，一直没顶，呛进她的喉咙里，她发不出任何声音，也动弹不了，黑漆漆的海仿佛整个儿倒扣上来，有无数双手在拉着她的腿，把她拖进无底的深渊里去。

她打了个寒噤，她是再不会将自己陷入那种绝望里去了。

她合上节目单，问关夏："你们这次晚会总导演是谁？"

"节目单上不印着吗？"

守守看了看节目单，找到总导演的名字："哦？这么大牌，挺重视的啊。"

"开玩笑，重头戏，连谁谁都要来，谁敢不重视啊？"关夏有点奇怪，"你问这干吗？"

"不干吗，就问问。"

关夏挺忙的，没多说就忙着要走："我先走了，有空咱们再喝茶。"

她一走，守守就翻名片夹，好容易找着陈卓尔的名片，想了一想，还是打给他。

陈卓尔接到她的电话简直有点受宠若惊："守守？今天这是刮什么风，把你给惊动了？"

守守问："晚上有没有时间？我请你吃饭。"

陈卓尔说："别介，守守，有话你就直说，你别说请我吃饭啊，不然我老觉得……"停了停又说，"咳……昨天我是跟南方在一块儿，可晚上我们一直打牌呢，打了一通宵，别的坏事都没干，真的。你要不信你问你哥，你哥也在。"

"不关纪南方的事。"守守说，"是我有点私事想找你帮忙。"

"啊！？"陈卓尔更受宠若惊了，"那还是我请你吃饭吧，有什么事你尽管说，只要我办得到，一定替你办。"

"电话里不好说。"守守说，"晚上见面再谈吧。"

晚上到底还是陈卓尔请她吃饭，听她将事情一说，问都没问她原因，立刻满口答应下来："就这么点事，好说。"

"不过节目单已经印了。"

"嗐，那就叫他们重新印，这有什么。"

守守说："那你马上替我办，万一搁明天你又给忘了，我可不饶你。"

陈卓尔直笑："妹妹，我这还没老年痴呆呢，你好容易开口找我一回，借我一万个胆子，我也不敢忘啊。"

守守被他逗笑了："好了好了，这次算我欠你一个人情。"

"没关系，我欠南方的多着呢，要这么算可算不过来。"

他虽然油嘴滑舌，但对她交代的事果然不敢马虎，当天晚上就给她打电话："行了，本来主办方还有点那啥，说都到这会儿了还改节目，他们很为难。不过我叫主管单位给他们打了一个电话，所以再没废话。明天最后一次彩排，她就不会参加了。"

守守觉得这件事办得挺痛快，所以连着两天都觉得心情好，整个工作状态也奇佳。谁知这天从演播室出来后，一打开手机，就接到电话。

她看了看号码，明知不接也不行，终究还是接了："曹秘书，你好。"

"你好，守守，你爸爸想见见你，我马上让司机来接你。"

"我在上班，走不开。"

"守守，别这样子，司机马上过来。"

守守把电话挂掉，反倒隐隐生出一种执拗，立刻去向主任请了假，等司机一来就跟他走了。

本以为是去叶裕恒的办公室，谁知司机把她送到山上。

叶裕恒在书房，正背对着门找书架上的什么书，地上的地毯很厚，她脚步又轻，走进去没有做声，正打算举起手来敲门。

"守守。"叶裕恒却知道她来了，抽出一本书，转过身来对她挥挥手，"坐。"

她站在那里一动不动。

叶裕恒说："你外公是大学问家、大收藏家，你外婆出身名门，他们从小对你要求最严格。我记得你三岁的时候，就会背千字文，四岁诵《论语》，五岁的时候，开始读《大学》、《中庸》。当年我心疼你，觉得你还小，但你外婆说，玉不琢不成器，唯有严厉，才有将来。你从小读的书不比我少，你也二十多岁了，不是小孩子，所有的道理你都懂。守守，行事要有度，凡事失了度量，就不好了。"

守守的脸色倒非常平静："您讲完了？"

"你这是什么态度？"

"爸爸，不用说得这么委婉，更不用给我扣什么大帽子，最不必的是搬出姥姥来教训我。您凭什么提姥爷姥姥？您对得起他们两位老人家吗？不就是那女人向您哭诉，不就是那女人跟您告状，所以您才把我叫来教训一顿。我不认为我做错了什么，我只是不想让讨厌的人出现在自己的视野里。"

"守守！你这是什么意思？"

守守冷笑："什么意思？爸爸，您心里清楚得很。"

"守守，你这样做对别人不公平，尤其对宛宛……"

守守冷笑着打断："爸爸，如果您觉得这一切对她不公平，您尽可以把她领回家去，昭告天下那是您的女儿。宛宛……宛宛……叫得真亲切……爸爸，我很佩服您，您甚至用叶家的排行来给她取名，真是用心良苦！您为什么不干脆给她改名叶慎宛？您害怕什么？您害怕您的名誉、您的地位？您当年有勇气做出这种事情，就应该有勇气承担这样的后果！"

"守守！你越说越不像话了！你这么多年受的教育，就是让你说出这样的话来？"

她的声音开始发颤："我妈妈什么都没教过我，她只教给我一个童话。一个十七岁的姑娘，千里迢迢，坐了四天三夜火车，去追寻爱情的童话。爸爸，您知不知道您很残忍，您把这世上最美好的东西在我面前都打碎了，我不知道我还能相信什么，我不知道我还能信任谁。"

叶裕恒沉默了片刻，才说："爸爸有错，你不能迁怒于宛宛，她是无辜的，她今年只有十三岁……昨天通知取消她的独奏，她伤心得没有办法，把自己关起来哭了整整一天……这次的事就算了，我希望你适可而止，再不要有下次。"

"这次我这么做了，下次我还会这么做！你有没有想过我？我也是你的女儿，你有没有替我着想过？"守守只觉得再也忍不住，眼泪汹涌而出，"我哭过多少次您知道吗？我伤心过多少次您知道吗？人人羡慕我幸福得像公主一样，您知道从幸福的顶端摔下来是什么滋味吗？那比从小不知道什么叫幸福难过一千倍一万倍！爸爸，您真的很残忍，您用这样的方式伤害妈妈，用这样的方式来伤害我，您还要求我大度，我做不到！我做不到！我告诉您，如果杀人不违法，我一定会杀了她们两个！因为她们把我的一切都抢走了，把妈妈的一切都抢走了！我永远也不会放过她们！我告诉您，也许现在我动不了她们，但您保得了她们母女一时，保不了她们一世！将来总有一天，我会把我所遭受到的所有痛苦，统统还给她们！我会叫她们活得比我辛苦一千倍一万倍！我会叫她们生不如死！"

"啪！"

叶裕恒忍无可忍，打了她一耳光："你疯了是不是？"

打完之后他先愣了，守守往后退了一步，摇摇欲坠，仿佛也不相信发生了什么事。叶裕恒吸了口气，叫了声："守守……"

守守反倒仰起脸来，带着一点微笑，那笑比哭更令他觉得惶然。她一字一句地说："爸爸，您真的以为，三年前我是因为要嫁给纪南方而自杀？"

叶裕恒的脸色微微一震："守守！"

她掉头就往外面走，司机在楼前等着，看她出来于是替她打开车门，曹秘书气喘吁吁地追下来："守守，先别走，有话好好说，别闹小孩子脾气。"

"开车！"

曹秘书打开车门："守守，你冷静一点，你爸爸这阵子身体一直不太好，你要体谅他……"

"开车！"

"守守……"

她终于歇斯底里地发作："你们放过我行不行？我不想留在这里！我不想再看到他！我不想再面对这一切！你们让我安静会儿行不行？我要回家！我要回家……你们让我回家去好不好……"

滚烫的眼泪涌出来，只有她自己知道，她不是要回家，她只是想要回到从前，回到一无所知的从前。她还是无忧无虑的小公主，父母唯一的掌上明珠，叶家所有人都宠爱的对象。即使全天下的人都不如意，她都可以过得幸福。因为她有一个最幸福的家……有最疼她的妈妈……和爸爸……

曹秘书终于关上车门，叮嘱司机："先送她回家。"

车子在泪眼模糊中终于开动，眼泪不停地往外涌，连她也不明白，为什么可以流这么多眼泪。三年前的一切像一场噩梦，她在无意间得知的那一瞬间几乎崩溃。她所执信的一切原来都是假的，她以为拥有的一切都是假的！幸福是假的，童话是假的，美好是假的，连爱情都是假的！什么都没有，有的只是赤裸裸令人作呕的真相。

没有人可以为她分忧，那种绝望一般的处境。她吞下一整瓶安眠药，却被细心的阿姨发现，送她去医院洗胃。醒来后看到母亲的第一眼，守守几乎心碎。

妈妈伏在病床前痛哭："守守，你这傻孩子，你要有个好歹叫妈妈怎么活？你要叫妈妈怎么活？"

为了这句话，她躺在病床上不停地流眼泪，一直流眼泪，就像要把一生一世的眼泪都流干，就像要把整个人的血和泪都流尽。她是不想活了，可是妈妈只有她了，她怎么可以抛下妈妈，她怎么可以……

妈妈什么都不知道，一直问她为什么做这样的傻事。她生平第一次明白，原来什么都不知道的人，才最幸福。

哪怕那幸福是虚假的，她也要给妈妈保留住。

所以最后逼得没有办法，她也只说了三个字："纪南方。"

妈妈搂着她不停流泪，只是反反复复地说："你这傻孩子！妈妈只是说叫你慎重考虑一下，没有说不答应你们。你这傻孩子……"

纪家得知后更是震动，纪南方的母亲马上赶到医院来，而纪南方的父亲不论三七二十一，先把纪南方揍了一顿，然后撵他来求婚。

纪南方的样子难看极了，他那样修边幅的一个人，这天却连胡子都没刮，下巴上已经冒出青青的胡茬，脸色几乎比病床上的守守还要差："你怎么这么傻？你要干傻事也跟我商量一声，我陪你一块儿。"

守守不由得说："其实我是吓唬他们的。"

"那要吓唬也是我们俩一块儿吓唬。"他那表情只差要哭了，"你一个人干什么蠢事？"

虽然病房里只有他们两个人，但他的表情仿佛真的痛不欲生，她终于笑了。

"你还笑！你还笑得出来！你怎么这样没良心！"他看起来凶，口气却软下去，"你就嫁给我好不好，我求你嫁给我好不好，你再不嫁给我，我爸非把我的皮都剥了。"

她出院后不久两家就开始筹备婚礼，双方亲友太多，旅居海外的更多，花了三个月才确认宾客名单，尽量低调但也免不了隆重其事。

她几乎都没有睡，守守一直记得那天早晨，母亲温柔而美丽的笑容。妈妈在一旁看着助手们围着守守替她换上嫁衣，看着发型师与化妆师们忙碌，妈妈一直含笑看着……最后妈妈温软的嘴唇亲吻在她额头上："好孩子，妈妈希望你永远都幸福。"

她也在心里默默希望，妈妈会永远都幸福。

行中西合璧的仪式，春暖花开的季节，晚上的婚宴就设在海边。一片草坪面朝大海，草坪后则全是灼灼碧桃，桃花正开得如火如荼，在无数盏投射灯的照耀下，大片大片花海似云蒸霞蔚，很多人误入桃花深处，都觉得似电脑特效投影，美丽得恍如仙境。出席宾客只有三百人，仅只双方亲友，并没有外人。

因为盛家老爷子早早发了话："我们守守的婚礼，你们怎么样也得给我办得漂漂亮亮！绝不能委屈了她。"于是守守的三舅舅特意提前两个月，就从美国带回自己旗下公关公司的精锐人马，负责策划整个婚礼，务求尽善尽美。

其实守守唯一的感受就是累，她这天除了一双配中式礼服的绣花鞋，其他几套礼服的鞋全是10公分左右的高跟。就这样还得与纪南方跳第一支华尔兹，幸好盛家的女孩子自幼都舞技娴熟，这一曲华尔兹依旧是神采飞扬，翩跹如蝶。六位伴娘中有一位是她的好友阮江西，江西说："我将来结婚一定要逃到国外去注册，免得像你一样。"

"你们家和平肯答应么？"

江西的男朋友孟和平今天也是伴郎之一，同其他几位伴郎一起，替纪南方轮流向宾客们敬酒，挡住一拨接一拨的酒海攻势。

江西笑得粲然："他说他都听我的。"

江西身后就是一树桃花，微风吹过乱红飘洒，有几瓣花瓣落在她发间，还有几瓣落在她小礼服的披肩上，她的笑亦如春风般清甜。这样相爱，什么都听对方的安排，把将来的岁月、永久的时光，都交到对方手上……执子之手，与子偕老……守守觉得恍惚，那花雨越发落得急了，仿佛东风一夜吹来，而千树万树，云霞化为盛雨。

【十三】

司机将守守一直送到了家，守守很沉默地直接上楼去，母亲还在瑞士没有回来，家里冷冷清清的。宋阿姨从后面进来，只看到她已经走上楼梯了，于是问："守守你回来了？晚上想吃什么？"

守守没有回头，站在楼梯上停了一停，才说："我不在家吃。"

她换了件衣服就下楼来，宋阿姨又只看到她匆匆的背影，于是问："守守你出去啊？要不要叫司机送你？"

"不用了，南方马上就到了，他来接我。"

"噢。"

她一直走出了大门，车道幽深漫长，她走了很久才走到马路边，又顺着马路走了很久，才拦了一辆出租车："去地铁站。"

"小姐，哪个地铁站？"

"最近的地铁站。"

"小姐，您下车吧，往前走两百米就是，看到了没有，那个像碉堡的。"

她觉得有点好笑："师傅，谢谢您。"

"不用！"

她还从未乘过这城市的地铁，上次搭地铁还是在伦敦跟江西一块儿。幸好示意图标志明显，她顺利到达要去的地方，既没坐过站，也没坐反方向。

出了地铁站再打的，终于找着那条街，整条街全是一色的小店，门面都不大，看起来也都差不多，但走进去大有乾坤，从天到地的墙上架子上五花八门，什么样的东西都有，好多守守都不知道是干吗用的。她像上次来一样觉得眼花缭乱，这样一路走一路找，还没找着记忆中的那家店。最后终于又踏进一家，店主迎上来打招呼："姑娘，买装备？"

店主只有三十多岁，却满脸胡子，乱蓬蓬看起来像野人，一笑露出一口白牙，更像野人了："看上什么了？要不要我给你介绍介绍？"

守守见着这大胡子就想起来了，就是这家店，她还记得这店主姓胡。因为上次易长宁带她来的时候，听这店主自我介绍说姓胡，还悄悄跟她开过玩笑："觉不觉得他像金庸笔下的胡一刀？"

所以她称呼了一声："胡老板。"

"呦，你是熟客介绍来的？"胡老板搔了搔头发，"看来又得打折了。来，告诉大哥，你想去干吗？是爬珠峰呢，还是漂金沙江？是上拉萨呢，还是下墨脱？是想去看三江并流呢，还是去看黄河第一湾？"

"其实我就是想出去走走……"

"徒步？"大胡子咧着嘴笑，"你新驴友吧？来来，我给你介绍一下入门装备。"

大胡子其实很热心肠，教给她不少东西，更是替她配了一套既轻便又实用的装备："帐篷、防潮垫、睡袋、冲锋衣、登山靴、水壶、手电、头灯……"

守守没想到需要这么多东西，而且每一件都设计精细，必不可少。大胡子替她收拾进一个大背包，守守也觉得惊讶，吃喝拉撒睡的全部，竟然一个大背包就统统装进去了。

大胡子往她背包里又搁了几袋能量饼干："你出发的时候去超市多买点巧克力之类的东西带上，那玩艺儿补充热量最好。"

守守已经去试衣间换了衣服，冲锋衣穿上自己都觉得很精神，她背上背包，幸好没有想像得那么重，大胡子朝她翘起大拇指："帅！"

她自己从窄窄的镜子里看，也觉得英姿飒爽。

先去超市买了巧克力和方便面，然后直接打的去火车站。买了时间最早的一趟车的票，在候车室百无聊赖地等。候车室里人很多，因为学生们快放寒假了，到处都排长队，不少人用报纸垫在地上，就那样席地而坐。她没机会见识过这种场面，真怀疑自己能不能挤上车。

事实上她的担心是多余的，检票时她根本不用往前走，全是后面人在推她，上车时也是，不知道怎么就稀里糊涂挤上去了，但没有位子坐。

她生平第一次在列车上站了大半夜。火车奇慢无比，走走停停，她最开始站，后来腿发软，于是坐在背包上，人又犯困，恨不得睡着。但满车厢的人，叽里呱啦地说话，还有小孩子又哭又闹，她疲惫地合着眼睛，苦苦地想，这么小的孩子，为什么父母偏要挤火车，听说现在机票都打折了，飞来飞去多简单，起码不用受这份罪。

终于熬到下车，背着包踏上站台的一瞬间，她差点腿软得迈不开步子。天早已经亮了，出了小站她有点分不清东南西北，幸好带着攻略。

攻略还是三年前打印的，不知道还能派上多少用场。那时候两个人刚认识不久，他约她来徒步长城。她只是小时候被长辈们带去长城玩过，都是风景区。在此之前，从来没有听说过徒步长城。易长宁告诉她，许多外国游人专程来中国徒步长城，因为非景区段的长城十分壮美。

是真的非常累，虽然事先作过充分的准备。但那是她第一次走那么远的路，爬几乎没有路的山，而易长宁不停鼓励她，她也非常有兴致，两个人走走停停，竟然差不多走完了预计的全程。

天色已近黄昏，余下的行程已经不多，两个人都脚步轻快。正在下山的时候，一只松鼠突然从灌木丛中钻了出来，守守"呀"了一声，满心欢喜想要逮住它，易长宁叫："别追！"她已经踩在一块山石上，脚下一滑，幸得他及时伸手抓住她的胳膊，她才没有滚下山去，生生惊出一身冷汗："好险。"

易长宁说："你真是糊涂胆大，都不看脚下是什么地方！"

她这才觉得脚踝剧痛，他也觉察了："脚扭到了？"蹲下来拉高她的裤脚，然后捏了捏她的脚踝，虽然他动作很轻，但她痛得几乎要大叫。他说："不知道骨头怎么样。"他解下身上的背包，从里面拿了两瓶水，塞进了衣兜，然后将背包往灌木丛上一扔，"我背你吧，咱们快点下山，找大夫。"

守守觉得挺不好意思的，因为之前两人连牵手都很少："那背包怎么办？再说你背着我怎么往下走？"

"是你重要还是装备重要？我背着你绕远一点，从长城上绕过去，那边是景点，有路下山。"他又好气又好笑，"快点！夜里山上有狼呢，我可不想背着你还被狼追。"

一提到狼，她吓了一跳，立刻乖乖伏到他背上。

他背着她又往上爬，回到长城上，路好走了一些，只不过要走得更远。他温热的脊背，宽广而可靠。

天色渐渐黑下来，路也很难走，他的呼吸渐渐沉重起来，她觉得担心："我可以下来走，不要紧的。"

他说："不行，万一伤到骨头，可不是玩的。"开玩笑似的说，"我背着猪八戒，多难得的机会。"

她伏在他背上咪咪地笑。

落日非常美。

残阳如血，灰色的长城似一条蜿蜒的巨龙，起伏在山脉间。夕阳将一切镀上一层淡淡的金色，他们一步步走在长城上，只觉得天高野旷，四海无涯，而他们迎着落日走去，仿佛要走进那夕阳中去一般。

他们停下来休息，她的脚站不稳，只好扶着他。他细心地拧开瓶盖，才把水递给她。

巨大的落日正缓缓沉没于远山之间，夕阳下他的脸庞被镀上淡淡的金色。风很大，他问她："冷不冷？"将冲锋衣脱下来，披在她肩上。衣服上有一点他身上独有的气息，仿佛是薄荷的香气，清凉而爽淡。

她渴极了，小口小口地抿着水，夕阳下她的脸饱满似一朵莲花，有一点娇艳的绯红，唇上还有晶莹的水痕，仿佛盈盈的水露。

仿佛是蛊惑一般，他就那样毫无预备地吻上她的唇。

守守似乎连呼吸都停顿了，只余他身上清凉的气息，还有温存的依恋。直到他恋恋不舍地移开嘴唇，她的眼中仍是迷蒙的惊羞。连多看他一眼似乎都成了很困难的事，整个人像是一块炭，几乎快要燃起来。

天完全黑下来，夜空更加漂亮，渐渐明亮的星子，堆积灿烂如银，又亮又低，每一颗仿佛都触手可及。

他告诉她："我很小的时候，还在国内，看过一部电影，名字叫《霹雳贝贝》，里面的一群孩子跑到长城上去等宇宙人，星空特别美，所以我一直梦想来长城上看看星空是什么样子，这次终于看到了。"

她于是笑："长城上没有宇宙人，长城上只有猪八戒。"

他也笑："我就喜欢猪八戒，有什么办法。"

她将脸埋在他背上："那你到底喜欢我什么？"

他说："我不知道，喜欢就是喜欢了，哪里讲得清为什么。"

是呵，她也不知道她为什么就爱他，但爱了就是爱了，没有道理，说不出理由。她不由得贴在他背上，听他"咚咚"的心跳声，她有些担心地问："你把装备都扔了，我们又没有东西吃，万一真遇上狼怎么办？"

他半开玩笑半认真："真要遇上狼啊，我就牺牲一下色相，说不定是条色狼，你就赶紧趁机跑呗。"

只这一句话，她便觉得安心，有他在，她一定不会害怕的："要是遇上一群狼了，那怎么办？"

伏在他背上，听着他笑声沉闷："遇上一群狼了，我就唱歌。我们公司的员工说，我唱歌能把狼都给引来。到时候我就一边唱歌一边往前跑，把它们全引开。你不就安全了？"

她开怀大笑："我还没听过你唱歌呢，你快唱一个给我听。"

"不行！万一真引来狼了怎么办？还是你唱吧，好不好？"

她一直记得，永远都记得，在满天灿烂的星光下，他背着她，而她在他耳边唱着歌，两个人走过星空下的长城。一直走，一直走，仿佛天地茫茫，时空无垠。那天她唱了许多许多歌，从外婆小时候教她的《绿袖子》，到妈妈喜欢的《兰花草》，还有学校里学过的中文歌英文歌，甚至还有她唯一会的两首法文歌。

唱到最后口干舌燥，可是满心欢喜，因为看到山脚下的人家灯光，仿佛满天繁星一般，灼灼闪闪。他和她走了那么远，终于重新回到这世间来。

在回到村口之前，趁着小路上的黑暗，他飞快地在她唇上又啄了一下："待会儿亲不到了。"

这样孩子气，难得一见。她的脸在黑暗中发烫，低声说："以后你不许跟别人爬长城。"

他在黑暗中无声微笑："从今往后，我只跟你一个人爬长城。"

后来，爬长城成了他与她之间的秘密，他想避开人亲吻她的时候，总是低声告诉她："我想爬长城。"

那样甜蜜，竟然都已经成了虚无缥缈的往事。

如今，她一个人去长城，看满天星辉灿烂。

天气并不好，阴沉沉的，也许她连看星星的幸运都没有。

她在火车站外租了一辆面包车，颠颠簸簸一个多小时，终于到达山脚下的那个小山村。

抬起头来，就可以看到山上蜿蜒起伏，似一条灰色巨龙般的长城，沉默而亘古不变的历史脊梁。既看不到首，亦看不到尾，顺着山势绵延，一直消失在视野的尽头。

村子里有几家客栈，这两年爬长城已经成了热门的徒步运动，村子里的人见到背着登山包的她也见怪不怪，将去客栈的路指给她看。

她在客栈里洗了个澡，出来后闻到饭菜香，才想起自己从昨天晚上到现在都没有吃过饭。

老板娘的手艺很不错，给她炒了两个菜，她吃得很香。老板娘陪她说话，好奇地问她："姑娘，你真的打算一个人上长城？"

"嗯。"

"那你可别走远了，从咱这儿上去的一段都是修过的，你走着看看也挺好的，再往前走远了，一个姑娘家，可危险了。天气预报说今天晚上可能要下雪呢……"

然后絮絮叨叨地跟她讲，有哪些徒步者遇上过什么危险，主要是野长城有许多地方没有修缮，坍塌得厉害，所以很难攀登。

"阿姨，没事，以前我来过一次，今天我只是往前走走看看，不行我就折回来。"

其实她心里也没底，因为她没有多少徒步经验。背着包上了山，慢慢地顺着长城往前走。

　　最开始一段长城很容易看得出来是修缮过的，宽阔平坦，跟八达岭的长城差不多。天气并不好，乌云密布，低得仿佛触手可及，幸好没有刮风。游人寥寥，走了一段之后，终于遇上了一个大学生摄影团，七八个人，都背着大大的登山包，还带着相机三角架，吵吵嚷嚷十分热闹。

　　她休息了一下又往前走，不久后这群学生就超过了她，朝她挥挥手："嗨！"

　　她也挥挥手："嗨！"

　　那群学生走得快，不一会儿就消失在起伏的城墙上。山势开始陡峭，她专心致志开始爬山，最开始没有多少技巧，后来慢慢想起易长宁当初教她的一些经验，知道怎么样能省力。终于登上一个山头，站在敌楼上，顿时有种前所未有的霍然开朗。

　　天地苍茫，只有不断延伸向前的城墙，一个山头比一个山头更高，一座敌楼比一座敌楼更险峻。她一路走着，并不觉得吃力，也不知道到底走出了多远，反正经过了好几个敌楼了，才停下来休息。她喝了一点儿水，站在敌楼上回头望，只见关山重重，暮色苍茫，而山河无声。仿佛天地之间，唯余她一个人。

　　很孤独，可是心胸反倒一片清明。

　　站得这样高，极目望去，天与地宏大得令人深切感觉到自己的渺小。

　　她继续朝前走，路越来越窄，许多地方都已经崩塌，上坡的角度越来越陡，有一段城墙简直近乎竖直垂悬，而且损毁得厉害，仿佛被谁拆成了一条废砖堆，就那样从山头倾泻着铺下来。她只好手足并用爬上去，刚刚爬到一半，脸上突然一凉，原来是下雪了。

　　万点雪花被风卷过山间，整个天地顿时笼进白蒙蒙的雪帘中，无数片六角飞花落下来，苍灰色的山脊在一点点变得浅白。天快黑了，她开始犹豫，回去是来不及了，也没有可能。入夜后也许会结冰，她要赶紧想办法把帐篷支起来，然后生火，最好是可以追上那群学生，跟他们在一起比较安全。

没有退路，唯有希望尽快抵达下一个敌楼。她记得上次来时，见到不少保存相对完好的敌楼，可以供扎营用。她刚才经过的敌楼也有保存很好的，比老百姓家的房子可牢固许多，城砖厚得连风声都听不见。她把头灯打开，一步步往前走，下雪路滑，她不习惯戴手套，总抓不牢城砖，她咬了咬牙，把手套摘下来，开始徒手摸索。

很冷，雪越下越大，而山势越来越陡，她爬得越来越慢。

天终于黑下来，风越刮越大，气温也越来越低，无数冰冷的雪花飞打在她脸上，她开始觉得冷和饿。

一种前所未有的绝望渐渐袭上心头，或许她永远没办法抵达下一个敌楼，或者下一个敌楼已经坍塌了，或者她今天晚上就要冻死在这山上……

【十四】

她用冻得几乎发僵的手摸索出巧克力，狠狠咬了一大口，是超市买的普通巧克力，与她平常吃的比利时的、瑞士的手工定制自然有着天壤之别，但现在饥寒交迫，硬是咽下去。

可可脂的香腻给了她一点力量，她一边嚼着巧克力一边往前爬。头灯能照到的地方有限，她几乎不知道自己爬了多久，抬起头来，忽然看到一点亮光。

她以为自己是眼花，可是白茫茫的雪雾中，真的隐约看到一点亮光，在这荒山野城之中，格外醒目。

她抹去撞在脸上的雪花，认真地看，不是海市蜃楼，也不是幻觉，真的有光。

那是敌楼，有人在那里，或许是另一个徒步者，甚至或许就是那群摄影的学生。

她又吃了一块巧克力，然后奋力朝那光亮一步步攀爬。她的手冻得快要失去知觉了，腿也越来越沉重，几乎再也无法迈出一步。

她几乎真的要绝望了，风把她的每一次呼吸从唇边卷走，她也许并没有喊出声来，可是那声音在心里呼唤了千遍万遍，她的喉咙里灌满了风，连一丝声音都发不出来……

而那灯光明明就已经近在眼前，她不能放弃，不能！

当一座几乎完好的敌楼终于渐渐出现在她头灯的光圈中时，她差点要哭了。

敌楼里有火光，还有煮方便面的味道，隔得这么远她都闻到了，是煮方便面的味道。

她几乎是连滚带爬进了敌楼，楼里温暖安全得不可思议，终于没有了刀割似的北风，终于没有了打在脸上又痒又痛的雪花……她大口大口地喘着气。敌楼墙边支着一顶帐篷，帐篷前生着油炉，小锅里煮得快沸了，坐在炉前的人回过头来，红红的火光映着他的脸，忽明忽暗。而外面的风声雪声，全都恍如另一个世界。

守守觉得自己一定是疯了，要不就是终于抵达安全的地方，所以出现了臆症，因为她明明看到了易长宁。

她站在那里不能动，也没有力气动，唯有胸口仍在剧烈地起伏，只是看着他，仿佛这一切都只是个梦，她还在风雪交加的山上跟跄前行，没有退路，也许下一秒就滑进山崖，摔得粉身碎骨。

她一定是疯了，她一定是疯了……

他身子晃了一下，终于慢慢站起来，过了好一会儿才朝她走过来，他走得很慢，仿佛也不信……这一切都仿佛是梦。

"守守……"

他冲过来将她一把搂进怀里，死死地搂进怀里，连声音都带着一丝喑哑："怎么会是你？"

怎么会是你？

等了又等，找了又找，她原以为，再也等不到，再也找不见，怎么会是你？

在这风雪交加，几乎是绝境的时候，怎么会是你？

重新出现在眼前，怎么会是你？

守守的眼泪终于掉下来："你答应过，要跟我一起爬长城。"

温热的眼泪落在她头顶上，她的眼泪也直涌出来，整个人都是精神恍惚："你说话不算数……"

那是她第一次看到他流泪，他不说话，把她紧紧箍在怀里，抱得那样紧，就像一放手她就会消失，就像一放手，命运就会再次夺走她。

她膝盖发软，整个人都发软，摇摇欲坠，他把她抱起来，抱到帐篷那里去，把她放在炉子前面，脱下自己的冲锋衣，将瑟瑟发抖的她裹起来。

她抓着他的衣襟，再不肯放手，就像一放手他就会又抛下自己。

"我对你撒了谎，我过得不好，一点也不好……"她像小孩子，断续地，抽泣着，"我过得一点也不好……我想你，我一直想你，可你把我抛下不管了……爸爸他竟然打我……妈妈什么都不知道……我觉得好辛苦，你怎么能把我抛下，就不管我了……我都快撑不下去了……"

她语无伦次，三年来的一切，颠三倒四地讲给他听，像是小孩子终于回到家，受过那样多的委屈，流过那样多的眼泪，唯有讲给他听，才能够减轻几分心里的痛楚。

不管她说什么，他只反反复复地说："守守，对不起，是我不好，对不起，对不起……"他端了面汤，一口口喂她，像哄小孩子，一口口喂给她吃。温度渐渐回到她身上，他的衣袖上湿湿凉凉，全是她的眼泪。她哭了又哭，一直哭到筋疲力尽。

她说了那样多的话，从头说起，三年来那样多的不如意，旁人眼里三千繁华、锦帆如曳的人生，只有她自己知道，千帆过尽，唯有遇上他，只有对着他，才可以说。她一直说到口干舌燥，而他一直抱着她，像抱一个小孩子，拍着她的背："一切都会好的……有我在……一切都会好的……你别怕……"

她知道，所以放下心来，她累极了，也倦极了。他又喂了些热水给她喝，把她抱进帐篷里，替她拉好睡袋："睡吧，守守，睡一会儿，我在这里看着你，你休息一会儿，你太累了。"

她还在抽泣，睡袋上有他的味道，似乎是一点淡淡薄荷，她觉得安心，几乎没有一分钟，就合上眼睛，睡着了。

她做了很多梦，先是梦见小时候被淹在大海里，没有人救她，她嚎啕大哭，然后梦见父亲……她梦到许多的人和许多的事，都是她害怕的，无法接近的……仿佛自己又在风雪交加的城墙上一步步走着，前方只有黑漆漆的悬崖，进退不能，动弹不得……她开始哭叫，也许是叫妈妈，也许是叫别的，反正她终于叫出声来……

"守守,我在这里。"他的声音近在咫尺,他的人也近在咫尺。外面的风声尖啸,就像整个世界都要被北风吹翻。幸得厚厚的楼墙阻隔了一切风雪,小小的帐篷仿佛惊涛骇浪中的一叶小舟。他已经把她带来的帐篷支起来,两顶帐篷紧挨着,他就睡在另一顶帐篷里,但她还是觉得害怕:"你过来陪我。"

他答应了她,把防潮垫睡袋都拿进她的帐篷,就挨着她一并躺下。像豆荚里的两颗豆子,这样并排躺着,温暖又安心。

他伸出一只手来摸了摸她的头发:"睡吧。"

她的脸贴着他的掌心,很温暖,就那样重新睡着了。

彻底醒来的时候天已经亮了,睡袋很暖和,她一时有点恍惚,仿佛不太明白自己到底在哪里。过了好一会儿,她才穿上冲锋衣,拉开帐篷拉链,走出去。

敌楼里没有人,油炉已经点燃,烧着一锅水,水已经快开了,袅袅的白色水汽四散在空气中。

守守走到敌楼门口,突然轻轻吸了口气,微微眯起眼睛。

天已经晴了,艳阳高照,而天地间一片白茫茫,一座座银白的山峰,似戴着雪笠穿着白衣的巨人,而山峰上断续的浅色长脊,是长城……所有的一切在阳光照耀下熠熠生辉,陡峭险峻的城墙滚上了白边,曲线变得柔和而优美。蜿蜒的长城似伏在堆堆银山中的一条雪白巨龙,矫然生姿。

没有风,整个世界安静得不可思议,天地间的一切都像被这场洁白的大雪完全覆盖了,包括声音。

易长宁站在那里,并没有回头:"真美,是不是?"

是真美。

自幼滚瓜烂熟的句子:"北国风光,千里冰封,万里雪飘。

望长城内外，惟余莽莽；大河上下，顿失滔滔。"

他喃喃地念："山舞银蛇，原驰蜡象，欲与天公试比高。须晴日，看红装素裹，分外妖娆……"

江山如此多娇……

眼前的景色令人震撼得无法移开目光，原来这就是雄浑壮丽，她微微眯起眼睛，无法用语言来形容自己看到的景色。昨天的劫后余生，原来能换来这样的美景。

她开始有点明白，为什么叶慎容那样热爱潜水，每年在大堡礁总要待上两三个月。这项运动明明危险得要命，全家人都强烈反对，可是叶慎容却执意而为。

生命是如此脆弱，而世界是这样美丽。

只是值得。

他回过头来微笑问她："肚子饿不饿？"

她点头，他说："来，我请你吃饭，不过只有方便面。"

他用锅盖吃方便面，样子很滑稽，她忍不住笑出声来，他说："那你把锅让给我吃。"

"不要！"她生平第一次用锅吃东西，怎么可以随便出让。

吃饱了，两个人并肩坐在敌楼门口看雪景。

非常的安静，听得到积雪从松树枝上滑落的声音，有一只小松鼠从他们面前跳过去，迟疑地、小心地跳过去，在雪地里留下一排小小足印，最后一跳跳到城墙下的松林里去了。

她靠在他肩头，仿佛一动也不愿意动："这么大的雪，它出来干什么？"

他也没有动，呼吸喷在她的发心上头，有点轻浅的温暖："也许它的同伴来爬长城了，所以它只好出来找。"

"真是傻。"

"可不是，跟你一样傻。"

她笑了一声，结果将眼眶中的眼泪震动下来，掉在他的手背上。

"守守……"他的声音很低，因为两个人靠得很近。她觉得他的声音仿佛是从胸腔深处发出的一种震动，他说："我要告诉你一件事。"

她没有动弹："我不想听。"

"守守。"他将她的脸扳过来，"你一定要听，现在只有我们两个人，所以我一定要告诉你。"

她看着他，易长宁觉得很难过，因为那双乌黑明亮的眼睛里，倒映着他的身影。他有点自欺欺人地转开脸去："守守，桑珊是我的小姨，桑宛宛，她是我的表妹。"

她的脸色顿时比外头的雪更白，她身子微微往后仰，急急地寻找他的眼睛，但他一直没有看她："所以那时候我以为我们不可能在一起……你也不会跟我在一起……三年前我发现这件事情后，选择走开。因为我知道你再没办法跟我在一起，可你什么都不知道，所以我宁愿你恨的那个人是我……"

她没有办法呼吸，只是痛，痛得连呼气都难，而他根本就不看她："我知道你一定恨透了我们一家人，你一旦发现，一定会恨透了我。所以我选择离开，我宁可你是因为别的原因恨我……守守，如果你真的恨我，恨我小姨，恨宛宛，不如今天就在这里把我推下去，没有人会知道我是怎么死的，他们只会以为我是雪后失足……"

她坐在那里，就像整个人都被冻住了一般，最后她站起来，有点摇摇晃晃的，仿佛山岭上的那些松树，承积了太多的雪，显得不胜重负。她往前走了两步，起初走得很慢，最后她步子越来越快，她奔跑起来，像是发了疯一样，只往前跌跌撞撞。山势很陡，积满雪的城墙很窄，她直直地冲下去，像是要冲到悬崖下去。他追上来，想要拉住她，她死命地甩开他，踉跄着朝前跌倒在雪中，他想把她抱起来，但她用力挣扎，两个人在雪里厮打。

有什么东西在拉扯中从他身上飞了出去，两个人都顾不上，她挣不开他的手，胡乱地狠狠地朝他手上咬了一口，他痛极了也不肯放，她拼命朝着山下茫茫大雪扑去。他死命地从后头抱住她，连声音都在发抖："守守！我求你了守守，你别这个样子。"

他从来不曾有过这样的口气，他那样骄傲的一个人，却这样哀求——她泪流满面，看着脚下踩着的东西，原来是他的钱夹，已经跌得摊开来，露出里面的照片。曾经那样高兴的两个人，脸挨着脸笑得灿烂如同阳光，眩目地映在雪地上。

当年她亲手将这张合影夹进他钱夹，说："永远不许拿下来，这样你一花钱就可以看到我，你就会努力挣钱，挣钱给我花。"

他笑着吻她："永远！"

她想起那天在咖啡馆，他不肯付账，不是因为信用卡真的出了问题，也不是因为没有零钱，只是因为他不肯当着她的面，打开钱夹。

他是怕她看到这张照片。

心底深处有什么痛楚再次支离破碎，仿佛整个世界渐渐分崩离析——她宁可他早就把这照片撕了，或者扔了，他是真的变了心，再不爱她，再不回来。而透过模糊的泪帘，所有的一切都不再清晰。她胡乱地抹了一把眼泪，就那样恶狠狠地抓起大团大团的雪块往他脸上砸，往他身上砸："三年前你不问我，你就把我推开。你凭什么再来问？我恨你！我就是恨你！你去死！你怎么不去死！你去死啊！我恨透了你！我就是恨你！你怎么不去死！你现在就去死！"

他不再躲闪，无数雪块像是纷扬的霰弹，劈头盖脸地，那样痛恨的狠狠砸上来，砸在他头上，砸在他脸上，砸在他身上，他一动不动半蹲在那里，任由她砸着，最后她筋疲力尽，四周的雪都被她抓光了，他头上、脸上、身上全是白乎乎的雪块。她坐在那里大口大口地喘着气，他一言不发把脸上的雪抹去，然后走过来，带着一种近乎野蛮的力气，一把抓起她，揽着她的腰，就那样狠狠吻下去。

隔了三年，隔了漫漫三年，一千多个日日夜夜，那样冰冷的嘴唇，却有着今生最渴望的温暖。两个人都有一种尽乎绝望的心境，越吻越伤心，只是来不及，只是不能够，像是再没有从前，再也没有将来。什么都不可以，那样绝望，她本能地抓着他的衣襟，像是要从他身上得到最后一丝依靠。

最后他放开她，他的睫毛上有晶莹的一颗水珠，仿佛是雪，被他们的鼻息融化，盈然地在他乌黑浓密的长睫上，摇摇欲坠。

她想起那支笔，他微闭着眼睛，整间礼堂几乎可以看见每一根睫毛滑过银色笔身，而他的笑容在那一刹那稚气如同天真。隔了这么久，还是这样清晰，就像一切如同最初，从来不曾改变。

他还牢牢抓着她，他的声音清晰低沉，却十分有力，如同他的手指："守守，我不会去死，因为从前我不知道，我没有把握，我以为你还小，你不会像我爱你一样爱我。所以我做了错事，我把你推开，我以为我可以独自承受，我以为你离开我会过得快乐。但今天，不，昨天晚上，看到你从风雪里跌跌撞撞走进来的时候，你昨天半夜惊醒叫我名字的时候，我就下了决心，我再不要把你推开，我再也不要让你这样伤心。我爱着的女人，我再不会让她吃这种苦。这世上没有任何人，任何事，可以把我们俩再分开，哪怕你真的恨我，我也要你一辈子在我身边恨我！如果你要我去死，也得等我好好爱完你这辈子之后，再让我去死！"

她声音轻得像是被风吹过的霰雪："我不爱你了，我真的不爱你了，你不用可怜我。"

他目光哀凉："守守，不管你还爱不爱我，我再不会放手。你觉得我卑鄙也好，无耻也好，我再不会放过你。"

【十五】

她唯有绝望："可是你结婚了，我也结婚了。"

"我没有结婚。"他急急忙忙把她的脸捧起来，"我想让你少痛苦一点，我想尽快让你忘记我。所以我合成了那些照片，把它放在一个假的网页上，然后设置好程序，只要你一登陆，就会自动转向那个假网页。我骗了你，那是假的，守守。你骂我，我干出这样的事情来，守守，你骂我吧。"

看到网页的那一瞬间，她曾经宁愿用整个世界去换取，换取那只是个骗局，换取那只是个梦境。如今亲耳听到他说，那真的只是个骗局，她却没有办法呼吸，心里就像是放在油锅里煎，无数沸腾的滚油，一次次翻滚着淋上来，痛不可抑。太阳照在雪地上，那样刺目，刺得她只能闭上眼睛："可我真的结婚了。"

"守守，你不爱他。"他把她抱起来，揽进自己怀里，"你昨天跟我说过，你一点儿也不爱他。况且他那样不尊重你，对不起你，一点也不珍惜你。"

"我跟他结婚了。"

"那就跟他离婚。"他语气温和，却有一种不能置疑的坚定，"我要你！我要你一辈子跟我在一起！"

　　这是她的易长宁，这是她最熟悉的易长宁，确定目标后便义无反顾，那样笃定，那样坚决，这世上没有人可以动摇他。

　　她渐渐语无伦次："妈妈……妈妈她会伤心的……她只有我了……"

　　"她最高兴的事情应该是你找到你自己的幸福，而不是跟她一样，守着虚伪的假相过一辈子！"

　　"可是妈妈什么都不知道……"

　　"那就永远不要让她知道。"他很冷静地说，"如果他们给你压力，就让他们都冲着我来，一切都是我的错，三年前我错了，但这次我不会再错。"

　　她没有力气与他争辩，也不想要与他争辩。

　　眼前白茫茫的只有雪，天地间一片寂寥。

　　有他在身边，抱着她，握着她的手，天地之间，只有他们两个人。

　　她只想时光就此停驻，岁月在一刹那永恒。

　　她宁可就这样，就好。

　　她宁可永远也回不去了，像这些雪，被太阳晒化在这山上，就好。

　　她说："我不想再说了，好不好？"

　　他说："好。"

　　两个人坐回敌楼前，就那样肩并肩坐着，看太阳渐渐升上来，升到头顶，她一直没有动，他将她揽在怀里，也没有动。

　　只有他们两个人，仿佛天荒地老，一夜白头。

　　他们带的食物并不多，如果再下一场雪，也许他们真的会死在这里。

她觉得死在这里也好，和他在一起，死在一起也好。

雪地反射着阳光，看得太久，几乎令人眼盲，最后有小小的黑点在极远处移动，她几乎以为自己真的盲了，所以眼睛出了问题。

易长宁也动了一下，她问："那是什么？"

他说："不知道。"

她懒得再问，偎依在他怀里，他也没再说话。

黑点越来越大，也越来越近，原来是好多人，都是武警，守守这才动弹了一下，从易长宁胸口抬起头来。武警战士们看到他俩更惊诧了："你们是什么人？在这儿干什么？"

"爬长城的。"易长宁答。

为首的似乎是班长，看了看敌楼里的两顶帐篷，又看了看他们两个，说："麻烦你们把证件拿出来。"看过易长宁的护照和守守的身份证后，他将证件还给他们，"说不定还要下雪，你们两个快把东西收拾一下，跟我们下山。对了，有没有看到一队学生？有个学生摄影队在长城上失踪了。"

守守想起来，于是告诉他："昨天下午我碰见他们了，他们比我走得快，我没追上他们！"

"你们快收拾！"班长很干脆地说，"跟我们下山，留在山上太危险了！"

另几个战士已经不由分说，开始帮忙动手替他们拆帐篷。易长宁跟守守只好也动手收拾，战士们果然行动利落，三下五除二就弄好了，一个人帮守守背上登山包，另一个还要帮易长宁，易长宁说："谢谢，我可以，我自己来。"

于是班长指定两个人护送他们下山，带着余下的人继续往前搜索那队学生。

下山的路很难走，幸好战士就是当地驻军，对地形非常熟悉。砍了两根松枝给他们当登山杖，带着他们一路往下走。有些地方山势陡峭，雪后路滑，战士在前面接，易长宁在后面托，守守才得以安然爬下去。

很狼狈，也很辛苦，一直到天快黑了，才到了山脚下。

四个人都松了一口气，远远看到有稀稀落落的灯光，两个战士说："你们自己进村去吧，我们还要回去。"

易长宁和守守十分感谢，两个战士很腼腆，挥了挥手就走掉了。

易长宁牵起她的手，说："走吧，我们去吃晚饭。"

路很难走，雪被车碾人踩，十分泥泞。这个村子里也有间客栈，而且客栈里很热闹，来了好多摄影客，都是来拍长城雪景的，大家议论着失踪的那队学生，都很担心。已经没有什么菜了，老板娘给他们煮了两碗面，卧了两个荷包蛋，守守竟然吃得香甜。易长宁于是把自己碗里的一个荷包蛋也拨给她："我不喜欢吃。"

她瞪了他一眼，可是也不能夹回去，只好吃掉。

老板娘在一旁看到直笑："小两口真恩爱。"

不知道为什么，这句话令守守觉得难堪。

她慢慢地把筷子放下来，易长宁很敏感地发现了，他说："不想吃就不要吃了。"

客栈里只有一间房了。

老板娘倒没觉得有啥："正好，最后一间了，给你们小两口。"

还是土炕，烧得暖烘烘的，而且只有一条被子，好在铺盖看上去像是新的。

易长宁打开背包，将两个睡袋都取出来，铺在炕上，然后问她："你睡哪边？"

她说："都可以。"

他出去了一会儿，拎了个开水瓶回来，说："凑合着洗个脸吧。"

墙角有只塑料盆，不过看上去很可疑，她决定不用了。他拎着毛巾淋湿了递给她："擦擦算了。"她伸手去接，他突然又说，"小心烫！"拎着抖得不烫了，才递给她。

守守第一次觉得热毛巾擦脸还是挺舒服的，虽然已经两天没洗澡——不过她累得够呛，这辈子没这么脏过她也打算忍了。难得出门吃苦，她早就有思想准备。

她和昨天一样只脱了冲锋衣，就钻进睡袋里。

易长宁也草草洗了把脸，不一会儿也上炕来，和衣钻进另一个睡袋里。

他上炕前把灯关了，屋子里一片漆黑，但没过一会儿，守守的眼睛就适应了，隔着窗帘，外头透进来点清冷的光，也许是月光，也许是雪。

走了大半天的山路，本来很累的，但不知道为什么睡不着。

易长宁也没有睡着，因为她看到他的眼睛。

他问她："怎么还不睡？"

她说："我害怕。"

不知道是在害怕什么，但心底真的有种恐惧，仿佛知道来日，他们要面对的艰辛困苦。

他笑了一声："傻丫头。"从睡袋里伸出手来，摸了摸她的头发，"快睡吧。别胡思乱想，有我呢。"

他的掌心很温暖，她将脸贴在上面，过了很久很久，他也没将手抽开，她迷迷糊糊地说："长宁，我明天回家，跟他们说。"

"好。"他的声音就近在咫尺，还是一如既往的温和，"你先睡，明天的事明天再说。睡吧。"

她叹了口气，终于睡着了。

第二天仍是个晴天，他们租到了一部面包车。

路很难走，一路颠簸，守守没有睡好，早餐也几乎没吃什么，脸色更难看。窝在后座只觉得胃里像翻江倒海一样，易长宁揽着她，虽然没有说话，可是也很着急。

到了城里他去给她买了胃药，然后找了间餐厅吃饭，坐下来点菜她根本没胃口："我不想吃。"

"回去走高速也得几个小时。"他像哄小孩，"不吃会晕车的，喝点汤好不好？我看到菜单上有鱼汤。"

勉强吃下去的东西果然不行，他们包了一部出租车，没走到三分之一的路程她就不行了，吐了又吐，司机打着尾灯双闪停在应急车道上，她几乎将胆汁都吐出来。她从来晕车没有晕得这么厉害过，叶慎容动不动跑到时速两三百码，她也没像这样。

好容易熬到下高速进市区，他问她："我送你回家好不好？"

她摇头："不，我想先回去跟他们说清楚。"

他说："我不想让你一个人面对他们。"

她其实也有些害怕，他握着她的手："守守，相信我，我们一起，总可以说服他们。"

她沉默了片刻，说："不，我迟早得一个人面对，我先回去跟他们说，比较好。"

他很长时间没有说话，但最后并没有再坚持："那好吧，你自己小心，我给你打电话。"

他将她一直送到车道入口，最后拥抱了她。她其实真的很害怕，他轻拍着她的背，她渐渐地镇定下来，没什么好怕的，她已经长大了，总得面对这一切。

她有思想准备，但没想到还是出乎她的意料，宋阿姨看到她眼圈都红了："守守，你去哪里了？你妈妈爸爸都快急疯了！"

她没想到母亲已经从瑞士赶回来了，父亲也没有去办公室，听到她回来，妈妈从楼梯上几乎是跟跄着下来："守守……"拉着她的手就几乎要掉眼泪，"你这孩子上哪儿去了？"

她没有说话，有点麻木地站在那里，叶裕恒从沙发里站起来，她生平第一次发现，军人出身的父亲，挺直腰板原来也已经微微佝偻，父亲的眼底有血丝，盯着她看了好一会儿，却一句话也没有说。

所有的人都在找她，当天晚上叶裕恒回家后，发现她不在家，便叫秘书找到了纪南方，听说守守不是跟纪南方在一起，叶裕恒便隐约觉得事情不对了，犹以为她不过一时赌气。谁知第二天她手机仍旧关机，纪南方也觉得有点不对头，于是赶回来将宿舍、公寓都找了一遍，然后又给江西打电话，才知道她既没有上班也没有请假。

她平常偶尔会耍小性子，可是从来没有这样过。家里人发现她手机没有带走，而且信用卡有两万元取现。守守的母亲接到电话立刻赶回来。整整两天两夜，几乎将整个市区都翻过来。所有的民航旅客名单、酒店入住名单，全都查了个遍，却没有找到一点线索。到第三天整个叶家都已经惊动，叶慎容去联络她所有的同学，而叶慎宽则去找人调看全市交通事故的监控录像。

"妈妈……"她看到母亲的样子就觉得难受，"对不起。"

而妈妈只是揽住她："回来了就好……"将她的样子看了又看，说，"怎么几天没见着，你这孩子就瘦成这样……"

　　叶裕恒一直没有说话，直到这时才开口。"南方。"他对站在沙发旁的纪南方说，"你陪守守上楼，叫阿姨给她放水洗个澡，休息一下。"

　　守守这才注意到，原来纪南方也在。

　　他的脸色看起来不太好，也许是因为没睡好，那样子显得有点沉默，但在长辈们面前，尤其是在双方父母面前，他一惯都是这样子。

　　守守吸了口气："爸爸，我有话跟您说。"

　　叶裕恒仍然没有什么表情，他甚至都没有多看她一眼："你累了，让南方陪你上去休息一下，我有事要去办公室，有话晚上再说。"

　　"爸爸！"

　　"守守，"妈妈挽住她，"听话，跟南方上去。你爸爸昨天晚上几乎都没睡，你别惹他生气。有什么话，晚上再说。"

　　"妈妈……"

　　"守守。"纪南方终于开口，"我们上楼去，你需要洗个澡，吃点东西，休息一下。"

　　"好吧。"她终于屈服，她浑身上下脏兮兮的，已经两天没有洗澡了，她这辈子从没这样脏过，而且她需要良好的精神状态来应付接下来的谈判，她于是听话地踏上楼梯。

　　宋阿姨早已经叫人给她放满浴缸的水，她好好泡了个澡，最后起来穿上浴袍，对着镜子看到自己两颊绯红，不，她不需要害怕，她只需要一点勇气。她没有把头发吹干，扯掉包发巾，随便梳了一下头发就走出去了。

纪南方在接电话，似乎是他母亲打来的，他正说："我跟守守在一块儿呢。"看她出来，又说了两句才挂断。他在窗下的椅子上坐下，随手把手机撂在一边茶几上，然后点了一支烟。他的脸是逆光的，所以他什么表情她看不太清楚，但也没必要。她的头发还是湿的，她也懒得再吹了，只在床前软榻上坐下，思忖怎样开口。

"守守。"没想到他掐熄了烟，反而先开口，"你怎么能这样不懂事？"

还是一副教训小孩子的口气，她心一横，终于抬起头来："纪南方，我们离婚吧。"

"别三天两头拿这种话来威胁我。"他的语气冷淡，"我看你是越来越不像话了，这样一走，手机也不带，你除了会任性会闹脾气，你还会什么？"

"我是认真的。"她反倒也冷静下来，"这两天我想得很清楚，反正我们根本没有感情，两个人在一起都觉得别扭，不如离婚。"

"叶慎守，你如果认真要离婚，就先让我们双方父母同意！"

她知道没有办法做到，所以十分灰心："双方父母……你明明知道那要你配合才可以……"

"我配合？"他不怒反笑，"我凭什么要配合你？"

看来今天无可避免又要吵架，她十分灰心："我累了，我不想这样过下去了。"她仰起脸来看他，"纪南方，你不觉得累吗？明明我们这样子，却在双方父母面前粉饰太平，一出门就分道扬镳。你觉得他们不知道吗？他们只是在装聋作哑，不愿拆穿我们而已，这样的日子我不想过了。"

"可我还没过够呢。"他冷笑，"我对现状不知道有多满意，你不想过了，我想过。"

"纪南方，你不能这样自私。"

"我自私？"他语气渐渐刻薄，"当年结婚是你情我愿，我并没有逼过你。"

她不能去想，因为一想就忍不住浑身发抖，那样痛苦的事情，她硬生生从记忆里删除，仿佛从来没有发生过，在那样的打击下，她迅速地把自己嫁掉，快得几乎不容自己多想。

她强迫自己镇定下来："我希望我们离婚也是你情我愿。"

"你想离婚？"他竟然笑起来，"我可不想离，所以不能叫你情我愿。"

"纪南方，你有点良心好不好？"她也渐渐动了怒气，"这三年来，我自问对你仁至义尽，人前人后我都给足你面子，我尽了我最大的努力来当你的妻子。现在我受够了，我不想这样了，我希望将来能够过得好一点，你能不能放过我？"

【十六】

"你尽了最大的努力？你碰都不让我碰你，你这是什么妻子？"

"没有感情却做那种事情，跟动物有什么区别？为什么要逼我？"

这句话大约惹到他，他猛地将她抓住，那样子几乎是想要扼死她。他的碰触令那种熟悉的感觉又渐渐袭来，她开始冒冷汗，按着胸口，只是觉得恶心。这几年来，她一直觉得情欲令人作呕，可是易长宁回来了，易长宁惊醒了她，就像快要窒息的人突然呼吸到新鲜的空气。她记起来爱情曾经有过的美好，是那样甜，那样纯净，跟真正所爱的人在一起，哪怕只是牵一牵手，心里就会咚咚跳上好半天。

而不是那种令人恶心反胃的情欲。

她再也无法容忍眼下的这种生活，因为虚伪枯燥得几近令人崩溃。像是网中的一尾鱼，越挣越紧，逼得她不得不用尽力气，想要挣脱那束缚。可他一动不动，手指渐渐用力，她觉得痛，但却直直地盯着他："你觉得我们的婚姻有意义吗？我受不了了，我受不了你明白吗？我当年之所以跟你结婚，其实不过是想从这个家里逃开，你却给了另一个火坑给我跳。我跟你结婚三年，我觉得我自己都老了十年，我不想在这样的牢笼里过一辈子了，你为什么就不肯放我一条生路？如果你需要一个幌子，外面大把的女人想当你的幌子，而我不想了，我只想离婚。你放过我行不行？"

他真的被气到了，他真正被气到的时候通常不说话，只是瞳孔急剧地收缩。

最后他终于松开手，非常从容地对她微笑："叶慎守，你别做梦了！我就不放过你！你这辈子都别想离婚！如果你说这是牢笼，你就好好在这牢笼里待一辈子！"

"纪南方！"

他摔门而去。

他一直走到楼下，盛开在客厅里，见他下来有点惊诧："怎么了？"

"没事。"他笑了笑，"妈，公司打电话给我，有点事我得先去处理一下。"

"噢。"

"守守好像累得很，我让她先睡一会儿，您让阿姨过会儿再叫她起来吃饭吧。"

"好。"盛开也觉得疲倦，"你也一天一夜没合眼了，处理完了公事，早点回来休息。"

"好。"

司机来接他，他在半道接到陈卓尔的电话："在哪儿呢？"

他实在没心情答理："机场。"

"你最近怎么老为航空公司作贡献啊？上礼拜给你打电话你在日本，星期一给你打电话你在昆士兰，前两天给你打电话你刚从机场出来，现在给你打电话，你又往机场奔。飞得比超人还勤，你该不会是瞧上哪个空姐了吧？所以跟着人家满天乱转。"

"滚！"

陈卓尔笑起来："有笔大买卖，人家非要跟你面谈。"

"没心情。"

"又怎么了，挣钱都没心情？"陈卓尔在电话里笑，"是不是上次那个冰山美人真把你给冻着了？"

"滚！"

"行啊哥哥，一会儿工夫叫我滚两回了，火气怎么这么大啊？难不成你前几天真是独个儿在昆士兰晒太阳？好了，今天不是你生日吗？哥几个请你吃饭，还有余兴节目，够有诚意了吧。"

"什么余兴节目？"

陈卓尔哧哧地笑："不能说，你来了就知道了，保管你满意。"

"别瞎扯了，说正经事。"

　　"正经事就是哥几个替你过生日，你要乐意呢，就来跟我们吃大餐，你要不乐意呢，就接着飞。对了，那空姐漂亮不？要不带来让咱们也开开眼界？"

　　纪南方把电话挂了，告诉司机："掉头，不去机场了。"

　　在他们常聚的饭店，一看他走进包厢，满屋子的人都轰地笑起来，一群人涌上来，七手八脚，将他按在座位上。陈卓尔更是兴奋："来来来，今天是好日子，先上菜，咱们慢慢吃着，再好好来敬寿星几杯酒。"

　　纪南方酒量很好，所以陈卓尔专门埋伏下了人，一早订好了攻守同盟，这个端杯子，那个拿酒瓶，七嘴八舌，叫哥哥的，叫兄弟的，又拍肩膀又先干为敬，一帮人撺掇，本来还以为要大费周折，谁知道纪南方今天特别痛快，谁敬都肯喝，谁端杯子来都给面子，等雪花堂煎牛肉上来的时候，酒桌上已经喝掉整整六瓶特供了。

　　"好了好了。"陈卓尔见纪南方连眼睛都红了，心里反倒犯嘀咕，连忙打圆场，"别把他灌醉了，灌醉了就不好玩了。"

　　"谁说我醉了？"纪南方冷笑，"就凭你们几个，能把我给喝醉？叫小姐换大杯！"

　　"好好，换大杯！"陈卓尔随嘴哄着他，却招手叫过小姐，低声嘱咐，"把那个参汁鹿鞭盅先上，让我们漱漱口。"

　　这天到底有好几个人都喝趴下了，连陈卓尔都有点犯迷糊，纪南方却仿佛还很清醒："你那余兴节目呢？"

　　陈卓尔掏出房卡，笑得十分暧昧："3118房间，长头发大眼睛，你最中意的那一款。记得怜香惜玉一点，人家是真正的小姑娘，才读P大一年级。"他笑嘻嘻将房卡插进纪南方的上衣口袋，"兄弟，生日快乐！"

走廊里铺了很厚的地毯，纪南方酒真喝得有点沉了，觉得脚下有点浮，出电梯找来找去找不到那房间。

这里灯太暗，走廊又曲折，隔不远幽幽的一盏，像是珍珠从贝壳缝隙里发出的光，珠辉流转，朦胧又迷离，他觉得头发晕，靠在墙上歇了歇，有点后悔，刚刚酒店客房的Butler要陪他上来，他拦住了不让，没想到以前明明来过两次，今天怎么就连门都找不着了。

他拿出电话，拨给陈卓尔，谁知电话通了好久没人接，这小子一会儿工夫跑哪儿去了，连电话也不接？他正打算挂电话，却有人接了。

很熟悉也很遥远的女声，他觉得头更晕了，把电话拿下来看了看，原来不知怎么拨错了号，拨到守守手机上了。

"守守……"他反倒笑起来，"你还没睡呢？"

她从声音都听出他喝高了，所以倒也没发脾气，反问："你喝了多少？"

"我没喝酒。"他把领带扯了，顺着走廊往前走，转一个弯，不是……再转一个弯……还没有……他觉得更晕了，只好停下来，"你在哪儿呢？"

"我在家里。"她已经懒得跟他多说，"纪南方，离婚的事，你好好考虑一下……"

他哈哈大笑起来："我为什么要跟你离婚？我凭什么考虑离婚？有你当幌子，我爱在外头怎么玩，就怎么玩，我玩得正高兴呢！"

她"啪"一声把电话扣了，他拿着手机站了一会儿，又接着往前走，终于看到两扇橡木门。

那女孩子听到开门的声音，仿佛被吓了一跳，从沙发上本能地站起来。看了他一眼马上低下头去，似乎不知所措。

他站在那里，只能看到她一头乌黑的长发，因为低着头，瀑布样的三千青丝，直泻下来，遮住大半张脸，但仍旧看得出来长得很甜美，侧影很漂亮，睫毛很长，像两把小扇子，微微垂着。

他站了一会儿，把手里的手机领带都撂在了茶几上，然后问："你先洗，还是我先洗？还是一起？"

那女孩子抬起头来看了他一眼，脸"腾"红了，好一会儿才支支吾吾地说："我洗过了……"

他这才注意到她原来穿着睡衣，很保守的两件式长衣长裤，图案是很可爱的格子小熊，他觉得有点恍惚，仿佛在哪里见过类似的睡衣，也许他是真喝高了，所以他往浴室去："那我先去洗澡。"

他洗了很久，差点在浴缸里睡着了，起来的时候水都凉了。结果走出来一看，人不见了，他只觉得有趣，如果那看上去胆战心惊的小丫头跑了，倒还真是笑话。

谁知进了卧室，才发现原来她没跑，已经在床上等他。

看他坐在了床上，她拉着床单缩在床角，仿佛有点发抖。

他吻她的时候，她确实一直在发抖，他一颗颗解开她的格子小熊睡衣钮扣，情欲渐渐弥漫，他的鼻息渐粗，开始有点不耐地啃噬她颈间柔嫩的肌肤，但最后他停下来——因为她哭了。

他手心沾到她温热的眼泪，而在他怀里，她一直在瑟瑟发抖。仿佛是本能，用手抵在他胸前，抗拒着他的进一步动作。她的抵抗那样无力，那种熟悉而沮丧的挫折感却席卷而来，仿佛漫天漫地，令他觉得心灰意冷，再没办法继续。

他放开手，走到窗边去，点上一支烟。

仿佛是酒意上涌，只觉得疲倦。

那女孩子怯怯地下床来，走到他身后低声说："对不起，我只是害怕……"

他回过头来，这才看清她有一双盈盈的大眼睛，眼中仿佛闪动着泪光，他不愿意再看，转过脸继续抽烟。

过了好一会儿，一个温软的身体贴上来，她用双手搂住他的腰，他怔了一下，拨开她的手，说："你走吧。"

她有点惊恐，开始啜泣："对不起，我真的只是害怕……"

"我知道你害怕。"他不耐地打断，"所以你走吧，我没兴趣了。"

"但是他们昨天已经把钱给我了……"她怯怯地抬起眼睛，"求求你别赶我走……钱我已经花了，没办法还给他们。"

"他们给你多少钱？"

"十万。"

"你用这钱干吗了？"

"给我哥，他被机器把手轧断了，医生说没钱的话就不能做再植手术。这么多年他一直在外头打工，没他我根本读不了书，更考不了大学。他三十多岁的人了，还没结婚，连女朋友都没有，就为供我读书。可这回他把手轧断了，医生说再迟就来不及了……所以我没办法，我有个同学在KTV打工，她问我愿不愿意……"

"行了别哭了。"他有点粗暴地打断她，走过去拿起自己的钱包，扔给她一张卡，"这里头有点钱，给你哥找个好点的医院，别耽搁治病，你走吧！"

她含着眼泪看着他，而他已经又转过脸去，重新点上一支烟。

她没有拿走那张卡，只不过对他深深鞠了一个躬，然后换上衣服走了。

他把一包烟都抽完了，只觉得累，于是走过去躺倒在了床上，脸畔有绒绒的东西，原来是那套格子小熊睡衣，她忘了带走它。

他把睡衣抓起来，扔到地毯上。

过了一会儿，他又下床去，把那套睡衣拣回来，叠好了，端端正正地放到枕头边。

睡衣上有一点少女独有的幽淡香气，既不是香水味，也不是别的人工合成的香氛。

其实并不像，她的气息有一点点甜，也许是常用的洗发水的味道，或者润肤乳的味道，沾染上一点半点，明明知道不是，是她身上独特的气息，因为在别处从来找不到。

他觉得可耻，那样漫长的时间，最后一次在一起还是两年以前，如今他经常十天半月也不见她一面，即使见面也不会有什么亲昵，但偏偏记得这样清楚，一分一毫都记得清清楚楚。寻了又寻，找了又找，那样多的女人来来去去，竟然连有一点点像的都没有。

他翻了个身，终于睡着了。

他是被手机铃声吵醒的，虽然醒了，但宿醉的头疼几乎也在意识清醒的同时袭来。层层窗帘密闭四合，隔光隔音，房间里似乎仍是漆黑的夜晚。他根本不想接，但是手机响了一遍又一遍，仿佛一颗定时炸弹，不爆不休。他只好爬起来，这才发现手机是搁在外面会客厅里，房门没有关，太安静，手机搁得那么远也响得惊天动地。

终于将那颗定时炸弹抓到了手里，看了看号码，不由得打起了精神："妈，这么早打电话，有什么事？"

"还早？你那边都几点了？你在哪儿？"

"还能在哪儿啊，办公室。"

"胡说八道！你秘书刚说你在开会！你什么时候学会骗人了？你到底在哪儿？"

"我就是在办公室开会啊。"

"开会有这么安静吗？"

"我这不从里头出来了，为了接您的电话嘛。"

"你跟守守是怎么回事？"

他怔了一下："没怎么，挺好的啊。"

"那为什么她刚才给我打电话，说你们要离婚？"

他沉默了一会儿，才说："我昨天下午跟她吵架，把她给气着了，您也知道她那性子，跟小孩儿似的，急了就乱发脾气。"

"你既然知道她是那性子，让着她些不就完了，为什么还要跟她吵？昨天下午我给你打电话，你不还跟她在叶家吗？好好的怎么吵起来了？别看守守比你小，我觉得她有时候比你懂事多了。这回不管为了什么，谁对谁错，你先去跟守守道歉。小两口吵嘴再正常不过，哪有随随便便就说离婚的？我告诉你，你要是敢胡来，别人我不管，我首先告诉你父亲，看他怎么收拾你！"

"妈，我真没得罪她。我也不知道为什么……"

"你不知道才怪！你爸爸这两天正忙着，你要敢没事找事，看他饶不饶你！"

纪南方没辙，只好换了个话题："那您几时回来？二姐还好吗？宝宝怎么样？"

他妈妈终于高兴了点，连声音都开始透出笑意："好，她们娘俩儿都好！宝宝可会吃了，一顿能吃20毫升了，你没看到她那小模样，要多可爱有多可爱……"忽然又想起来，"你跟守守还是要个孩子吧，每次催你，你都说不急不急，你都快三十岁的人了，还打算玩到什么时候去？我看等有了孩子，你才会安分点，少让我操心。"

"我要进去开会了，妈，我晚上再打给您。"

"好，你忙去吧，记得下班就回家，好好哄哄守守。小两口床头吵架床尾和，哪有隔夜仇的。"

"我知道，妈，再见。"

他很耐心地等待母亲说了再见，然后挂断。

这才一扬手发狠死命地将手机往墙上掼去。

手机被狠狠砸在墙上，飞快地滑跌落地，摔得零件四溅开来，嗒嗒地进了满地。犹不解气，他把茶几上的一切什物统统扫到地上去，哗啦啦全跌得粉碎。花瓶碎了，里头插的鲜花全落在地上，水流了一地，有几滴溅在他手上，是冷的。胸口憋的那团火却是热的，熊熊焚烧着，像是要将他整个人都要焚成灰烬。

他走回房间，拿起床头柜上的电话拨通了守守的手机，声音平静得连他自己都觉得可怕："叶慎守，你是真的要跟我离婚？"

她没有迟疑："是。"

"那你过来，我们好好谈谈。"

她问："你在哪里？"

他告诉她酒店与房间号，她说："我马上来。"

他洗了个澡出来，才发现原来已经是中午了，于是打电话叫酒店送餐。太阳很好，餐厅三面都是落地窗，服务生将窗帘全都束起来，又换上最新鲜的鲜花。不一会儿送餐到了，他独自坐在阳光灿烂的餐厅里用餐。他吃得很慢，最后一杯红酒喝完，恰好听到门铃声。

服务生早被他打发走了，他抛下餐巾亲自起身去开门，果然是她。

【十七】

他倒对她笑了笑："吃了午饭没有？早知道你过来得这么快，我应该多叫一份。"

"我已经吃过了。"她走进来，稍稍打量了一下环境，微皱着眉头，"我们还是换个地方说话吧。"

"你不喜欢这儿？"他眯起眼睛，"为什么？"

她懒得多说，只冷着一张脸："你不换地方我就走，等你有空了我们再谈。"

"我就想在这里谈。"

两个人一时僵在那里，她的手机响起来，她拿出来看了看，说声："对不起。"就打算走开去接电话。谁知他突然伸手抓住她的手臂："把手机给我！"

她没有动："不。"

"把你手机给我！"

她不肯，他一把抓住她的手，捏得她手腕奇痛入髓，几乎是想将她的腕骨捏碎一般，他从她手里将手机硬夺了过去。他看着屏幕上的来电显示，终于冷笑："易长宁……原来是他。"

她反倒笑了一笑："纪南方，你明不明白？即使易长宁不回来，我也要跟你离婚。"

手机还在一直响，一直响，他却仿佛平静下来："那你当初为什么嫁给我？"

她垂下眼帘："对不起，我尽力了，可我不爱你。三哥，都是我的错……"

"我们结婚了。"他打断她，"别叫我三哥！"

"我们离婚吧。"

"爸妈不会同意你这样胡闹，你别痴心妄想了！"

她一脸倦色："他们不同意我也要离婚，你如果真的不肯，我只好让律师来跟你谈。"

他只是冷笑："我倒要看看哪个律师有这能耐！"

"徐时峰。"她还是很平静，"我想过了，旁人不敢，他会接的。"

他真动了怒气，反倒笑起来："叶慎守，你真是幼稚！"

"关于离婚我考虑很久了。"她很干脆地承认了，"你可以说我幼稚，但我爱长宁，一直爱，从最开始到现在，我爱的人是他，他也从来没有变，所以请你成全我们。"

"你离家出走后原来跟他在一起。"他的声音里透着不可言喻的冷诮，"怪不得回来就要跟我离婚。"

"纪南方！"她听出他话里的意思，气得要命，"你不要把人人都想得跟你一样龌龊。"

"我龌龊？"他仿佛还是在笑，却是冷笑，"你一直嫌我龌龊对不对？你嫌我脏，你嫌我弄脏了你？你觉得我不配碰你？我告诉你，你是我老婆，我再脏你也是我老婆！我就是要让你跟我一样脏，一样龌龊！"没等她反应过来，他已经一下子将她抓了过去，按在沙发上胡乱亲吻着，一边就撕她的衣服。

"你干什么？"她一边挣扎一边叫，"你发什么神经！你放开我！"

他用自己的唇堵住她的嘴，那不是吻，只是一种野蛮的发泄。她只能发出含糊不清的声音，拼命地想要摆脱开他。衣料在他指间迸裂开来，肌肤的裸露令她战栗。他毫不留情地将她翻过来，禁锢在自己身下。她开始哭，拼命挣扎，双手都被他牢牢按住了，她的脸被迫压在沙发的一堆软枕里，她能够发出声音了，但却只能哽咽："纪南方！你这个混蛋！"

"我就是混蛋怎么了？"他冷笑着，几乎不带任何感情，"我今天就混蛋一次给你看看！"他腾出一只手去扯自己的衣服，她趁机挣脱朝大门跑去。没跑两步头皮突然一紧，他竟然拽住了她的头发！她头发极短，被他这样抓着，疼得直流泪："纪南方你放手，我疼！"

她从来没见过这个样子的他，凶残得如同野兽一般，鼻息咻咻地喷在她脸上，似乎连呼吸都带着某种嗜血的气息。她被他推得跌跌撞撞，但没有摔倒。他已经重新抓住她，将她腾空抱起来，她像条陷进网里的鱼，怎么扭怎么蹦都挣脱不了。他将她狠狠摔在床上，然后整个人压上来。

守守觉得一切像场噩梦，不管她怎么挣扎，怎么哭泣，就是没有办法醒来。身体的疼痛与心灵的恐惧同时吞噬了她，她到最后发不出任何声音，觉得自己被撕碎成千片万片，再也没有办法拼凑在一起。而四周全是冰冷的海水，涌上来，一直涌上来，绝望一样的寒冷海水浸没了她，她被溺毙在黑暗的海中。

午后下了一场小雪，交通开始变得不顺畅，路上的车走走停停，渐渐蜿蜒堵成一条长龙。

易长宁的车陷在长龙阵里，只能跟着前车缓缓行进，守守一直没接电话，再拨过去，就关机了。他有点犹豫，刚挂掉，电话又响起来，原来是阿姨桑珊，问他："长宁，晚上有没有时间过来吃饭？"

他父母早就移民美国，阿姨是国内唯一的亲人，他答应："好的，阿姨。"

桑珊住在胡同深处，很僻静的一座单门独户的院落。墙内有两株极大的石榴树，这季节的城市安静而蔚蓝的天空，衬得墙头树木枝丫脉络如画。

易长宁将车停在院外，下车按门铃，阿姨亲自来给他开门，说："把车停进来吧。"

院子不大不小，天井里正好可以停两部车。虽然是旧式的宅子，但几年前刚刚重新翻修过，所以其实住着很舒服。朝南的屋子，暖气正上来，易长宁脱掉大衣，问："宛宛呢？"

"到同学家里去了。"

没让保姆动手，桑珊亲自下厨做了几个菜，然后问他："喝点红酒还是果酒？"

"不喝了。"他说，"吃点饭挺好的。"

桑珊手艺不错，像他妈妈做饭的味道，所以总是叫他过来打牙祭。三年前也是这样，直到有天他无意间见到叶裕恒。

两个人很沉默地吃饭，他却没有吃多少，所以桑珊问他："怎么？胃口不好？"

他索性搁下了筷子，说："阿姨，有话您就直说吧。"

桑珊沉默了一会儿，才说："长宁，阿姨没有资格说什么，但是你知道小叶她对我、对宛宛……一直有很大的敌意……"

"我会带她出国去。"易长宁说，"守守其实心地很善良，她只是接受不了。所以我会带她出国，不让她有机会面对这些。"

桑珊的脸色有点苍白："她是叶家的女儿，又是纪家的长媳，你知道这意味着什么……"

"那又怎么样？她不幸福！"易长宁的目光反倒锋锐起来，"阿姨，您愿意委屈您自己，而且一委屈就是这么多年，是因为您觉得幸福，您觉得值得！可是她不幸福，她为什么还要委屈自己，守着那名存实亡的婚姻？那个花花公子根本就不爱她，他只会伤害她。阿姨，您知道看着心爱的人哭是什么滋味吗？您知道看着心爱的人痛苦是什么滋味吗？如果她过得好，她过得快乐，我是绝不会再打扰她，可事实不是那样。她在我面前哭的时候，我就下了决心，我一定要带她走，我不能再让她过那种日子！"

桑珊轻轻叹了口气："她的父亲不会同意她离婚的。"

"守守会坚持到他同意为止。"他语气平静，"我知道她。"

"可是叶家很可能迁怒到你，就算最后叶家能同意，还有纪家。长宁，你这又是何苦……"

"阿姨，三年前我问过您同样的问题，您当时回答我说，只要能和他在一起，那么再辛苦也是值得的。同样，只要能和守守在一起，不论是什么样的代价，我都觉得值得。"他停了一下，似乎觉得自己语气过于激烈，于是放低了声音，"对不起，阿姨。"

桑珊眼圈有点发红："没有，长宁，是阿姨对不起你，我知道，三年前如果不是因为我和宛宛，你不会那样走掉。你心里一定很后悔……"

易长宁没有做声，屋子里安静下来，听得到墙上挂钟滴滴答答的声音。最后，他说："我确实后悔了，所以我才会这样做。我知道我这样也许会伤害到一些人，甚至包括您和宛宛，但是我已经错了一次，我花了三年的时间才认识到错误，所以再没有办法承受第二次。"

他从桑家出来，天已经黑透了，人行道的树上有一点残余的白雪，被路灯染成淡淡的橙色。他用车载拨守守的手机，仍旧是关机，他有些担心，于是在十字路口掉头，开车到守守的宿舍楼去。

很远就看到那个窗口是漆黑的，没有灯光。他把车停下来，看了看表，犹豫了一会儿，终于拿起电话拨了一个号码。

一个温和的女声接的电话："您好！"

应该是叶家的阿姨，他问："您好，请问叶慎守在家吗？"

"她还没回来，请问您是哪位，要不要留话？"

"哦，谢谢，不用了。"

崔阿姨把电话挂断，然后起身去客厅，告诉盛开："是那位易先生打电话来。"

盛开问："守守呢？"

"在房间里。"

"南方呢？他不是和守守一块儿回来的吗？"

"还在走廊里。"

"这两个孩子。"盛开有点无奈，"你去把备用钥匙找来，我先上去看看。"

一上楼就看到纪南方，很沉默地站在走廊的尽头，看到她上楼来，低声叫："妈。"

盛开敲了敲守守的房门："守守，是妈妈，你把门开开。"

没有回应，盛开又敲门，声音大了些："守守，你开门，有什么话开门再说。"

仍旧没回应，盛开于是问纪南方："你和守守到底是怎么回事？"

纪南方沉默地低着头，盛开不由得叹了口气："她这次赌气跑出去，其实是因为她爸爸说了她两句。你也知道，守守有时候脾气是挺拗的，但她是个实心眼儿的孩子，不说别的，就当初她要死要活地要跟你结婚，你就应该知道，她心里有多看重你。"

崔阿姨拿着备用钥匙上来了，盛开不便再说，于是接过钥匙打开房门。屋子里一片漆黑，没有开灯，透过走廊上照进来的一点光亮，隐隐约约可以看见床幔没有放下来，而守守一动不动地伏在床上，整个人在被子底下蜷缩成一团。

盛开有点惊讶："这孩子怎么了？"崔阿姨打开床头灯，本来以为守守睡着了，谁知她两只眼睛睁得大大的，月白色的缎子枕套，越发衬得一张脸孔雪白，连半分血色也没有。看到母亲进来，她身子微微动弹了一下，很轻的声音叫了声："妈妈……"

盛开伸手摸了摸她的额头："怎么全是汗？"守守的目光落在纪南方身上，他站在门口，高大的身影令她不自觉地哆嗦了一下，连唇上最后一抹血色都消失殆尽，仿佛是歇斯底里："滚出去！"

"守守！"盛开呵斥，"你怎么能这样对南方说话？"

纪南方的脸色也很苍白，像是想说什么，过了几秒钟，终于什么也没说，转身走了。盛开又急又怒，撇下守守："我等会儿再跟你算！"

她终于在楼梯上叫住他："南方！"

纪南方停下来，盛开说："你别跟守守一般见识，她这两天跟她爸爸闹别扭。你别往心里去，回头我说她。"

纪南方说："您别怪她，今天的事都是我的错。"

"那你先别走，你一定连晚饭都还没吃，我叫厨房给你做两个小菜。"

"妈，"他勉强笑了笑，眉目间有种无法掩饰的疲倦，"我还是回家去，守守估计累了，我明天再来。"

"你们两个到底是怎么回事？"盛开问，"你别瞒着妈妈，要是守守的问题，我去说她。"

"是我不对，守守没有错，她不理我是应该的。"他低声说，"您早点休息吧。"

他第二天却没有过来，盛开追问守守，守守却一声不吭。只是跟台里请了两天假，又过完双休，才去上班。

终于接到易长宁的电话，他十分担心地问："守守，你的手机怎么一直关机？"

她这才想起来，自己的手机那天被纪南方扔在地上，然后她一直忘了，也不知道最后是被纪南方拿走了，还是摔坏了。

她撒了个谎："我手机丢了。"

"守守，你还好吧？"

"嗯。"

"那我来接你下班？"

她犹豫了一会儿，还是答应了他。

黄昏的时候开始下雪，城市在飞雪中渐渐陷入夜色的包围。他自己开车来接她，带着她去了一间很安静的会所，灯光迷离的走廊，天花板上有各式各样的油画，水晶灯的光芒晶莹剔透，而包厢垂着重重手工绘制的帐幔，令人觉得安静又私密。

菜单上仍旧有川菜，他问她："吃鱼好不好？"

其实她什么都不想吃，但还是点了点头。

服务生退走后，他说："有样东西送给你。"是一支新手机，他说，"我替你拿了号，号码尾数与我的一样，免得你记不住。"

她对记数字实在没有天赋，所有的电话号码都要记许久才能记下来，所以他才会这样说。

手机款式很小巧，她伸手来接，他却忽然抓住她的手指，她挣了一下，他执意将她的手腕翻过来，然后拉起她的袖子，她皮肤本来腻白如凝脂，手腕上却一大圈乌青，在包厢的灯光照射下，看着更是骇人。他的指尖冰凉，握得她的手也发冷起来。

他什么都没有问，过了好久终于松开手。因为开始上菜，服务生报着菜名，琳琳琅琅一桌子，有她原来最爱吃的水煮鱼。

没有记忆中的那样辣，她努力吃了很多。吃饭的时候他一直没有说话，最后出来上车之后，他才说："守守，搬出来住吧。"他说，"我要你待在我能看见的地方。"

她反而很平静："给我一点时间，我能解决好，你不要担心我，我不会再让这种事情发生。"

"你打算怎么解决？"他的手因为用力握住方向盘，手背上隐约有青筋暴起，"他如果再动手的话你有什么办法？"

她说："那是意外，这种事情不会再发生。"

他紧握着方向盘，目光望着前方，车里听得到尾灯双闪的声音，很轻很轻的嗒嗒声。她将手放在他的胳膊上，他的整个人都是紧绷的，她柔声说："长宁，现在我搬出来，只会激怒双方父母，有百害而无一利。"

他微微叹了口气，终于启动车子，他以前从来不叹气，无论何时，不论是什么事情，他永远都似有成竹在胸。

他送她到宿舍楼下，她说："你别上去了，我进屋就给你打电话。"

他坚持送她上楼，她也只好由他。

这是他第一次到这里来，房子很小，几乎没有什么多余的装饰，收拾得很干净。

她去厨房，他看到茶几上搁着几本杂志，于是拿起来，底下却有一支笔，骨碌碌直滚过来。

他认得，那是他的笔，原来，她留了这么多年。

厨房里"咣啷"一响，紧接着听到她短促的惊呼，他几步冲进去："怎么了？"

是打碎了杯子，碎瓷片还在地上冒热气，他急急拉过她的手，打开冷水，反复地冲淋。其实没有烫得多厉害，指尖的疼痛渐渐消失，她微微仰起脸来，他正好低下头。

仿佛过了很久，那个吻才落在她唇上，带着不可思议的柔软与轻盈，就像一片羽毛，或者雪花，呼吸慢慢变得缓慢，仿佛整个世界都慢下来，有柔软的芳香，她的整个人也软绵绵的，顿时失却了力气。也不知过了多久，他才放开她，因为电话一直在响。

【十八】

是座机，守守脸色绯红，走过去接电话时还有点恍惚，电话那边说了一遍，她没有听太懂，对方只得重复了一遍。

易长宁看她神色怔忡，好一会儿才挂上电话，于是问："出什么事了？"

"是纪南方……"她脸色有点苍白，"出了车祸。"

因为超速撞在隔离带上，整个车头全撞瘪了，幸好车上配备的是八安全气囊，纪南方都没受重伤，只有腿骨骨裂。

守守到医院时，他腿上已经打了石膏，并且被吊起来，看上去很骇人。病房里早围得水泄不通，有专家教授、医生护士，甚至还有临时电召来的骨科权威。纪南方在病床上动弹不得，忽然从人缝中间发现她，就咧嘴冲她笑。

守守见他还能笑得出来，不由得松了口气。

等医生们都退出去了，病房里只剩下纪南方的助理，守守平常很少跟他打交道，只记得他姓陈，刚才就是他给自己打的电话。这位陈助理向纪南方道："赵秘那边刚才又打电话来了，按您的意思，我就说了骨头没问题，只是韧带拉伤，他很迟疑了一会儿，今天晚上大概没事了。"

纪南方点了点头，又说："要是我妈那边打电话来，也这样说，省得她又一惊一乍的。"

陈助理答应了一声，看看他没别的话，也走出去了，随手带上门。

守守沉默了一会儿，才问："怎么弄成这样，还撒谎不告诉家里人？"

纪南方若无其事地笑了笑："这都几点了，说不定已经睡了，老头平常都靠吃安眠药的，难得睡几个钟头，再把他吵起来，我岂非不孝？"

守守忽然俯下身来，纪南方只觉得她一对眸子又黑又亮，仿佛两粒宝石，瞳仁里可以清晰看见自己的倒影，迎着他的面孔越来越近。她身上依旧有好闻的香气，仿佛带着一丝甜，他几乎觉得呼吸困难，还没等反应过来，她已经直起身子了："你喝了多少酒？酒后驾驶，活该！"

"谁说我喝酒了？"

"你闻闻你身上那味儿。"守守微皱着眉头，"我都闻出来是Eiswein了，骗谁呢？"

他笑："骗谁也骗不了你啊，跟狗鼻子似的。"

守守"哼"了一声，纪南方说："别生气了，就算我是活该，我都撞成这样了，你也该气消了吧。"

守守听得出来他话里面的一语双关，觉得有点难堪，转过脸去不理他。没过一会儿纪南方开始哼哼唧唧："守守，我腿疼。"

"我帮你按铃叫医生。"

"叫他们来有什么用啊。"他悻悻地，"他们又不肯给我止痛剂，说影响愈合。"

"那你就先忍着。"

他叹了口气："你过来点，你离我这么远，我说话吃力。"

守守说："你要说什么就说，我站在这儿挺好的。"

纪南方有点无奈地笑："我又不是老虎，再说我腿还吊着呢，动都动不了。你过来点儿好不好，我真的中气不足，说话费劲。"

病房里没有凳子，沙发离得老远，守守犹豫了一下，终于坐在病床上。纪南方伸手握住她的手，她本来想甩开，看看他忍得龇牙咧嘴的表情，到底忍住了。

幸好纪南方握着她的手就觉得很满意了，他的食指无意识地在她手背上摩挲着，守守挣了一下："痒！"他笑了一下，说："守守，今天撞车的那一瞬间，我就在想，我要是死了，你会不会哭呢？"

守守怔了一下，没想到他会说出这么句话，一时倒仿佛有点意外。只是微微叹了口气，转开脸去，病房顶灯明亮，她的侧影如同剪纸般，落落分明，乌黑浓密的长睫毛仿佛蝴蝶的翼，在微微轻颤。

"守守。"纪南方声音很低，"以前都是我的错，我们以后好好过，行不行？"

守守生平第一次失眠，睡不着，半夜很清醒地躺在床上，翻来覆去，意识好容易模糊一点，却想起很多事。

大部分是小时候的一些事，杂乱无章的回忆如同梦境，跟江西一块儿，或者跟哥哥们一块儿，偶尔也会想到纪南方，可是总是模糊的。他比她大五六岁，小时候同哥哥们一块儿时，从来不爱带她玩，嫌她小，嫌她是女孩子，嫌她麻烦。再长一点，他又出国去了，同任何一位世交的兄长一样。她从来没有想过自己会跟他结婚，而婚礼又来得那样匆忙仓促，即使结婚后很长一段时间，她都没有习惯。偶然半夜醒来，突然发觉身边竟然睡着人，常常会惊出一身冷汗，要定一定神，才会想起，原来是纪南方，而自己已经跟他结婚了。

她花了好长一段时间才适应，而纪南方亦是，因为她独睡惯了，偶尔他半夜翻身无意触到她，她都会惊醒。

后来他终于习惯了靠边睡，占最少的地方，连睡熟了都不会碰到她。有时候早上醒过来，见他缩手缩脚侧身睡着，那样子看着倒真辛苦。

但那时他差不多每天晚上都会回家，哪怕应酬得再晚，喝得再醉，也会被司机送回来。只不过喝醉了总是忘记靠边睡，就喜欢贴着她，身上像火炉一样滚烫，偏要贴在她背后，她拨开他的手，他很规矩地睡一会儿，过不了多久却又贴上来，如此三番两次，她实在睡不着，只得半夜爬起来去睡客房。后来他发觉了，喝醉了回来就主动去睡客房。

其实大部分时候他都还算不错，总肯让着她，因为她比他小，结婚的时候她才二十一岁，双方家长都觉得她还是一团孩子气，纪南方大约也拿她当孩子看待，有几次真的被她气到，也不过丢下她走开。后来慢慢开始不回家，但她每次有事给他打电话，他总能及时地出现。

叶慎宽有时也教训她："其实南方对你不错了，只要你对他稍微用点心，他就不会在外头玩了。"

一遍两遍说到她烦，索性顶嘴："大哥，我看大嫂对你挺用心的，你怎么还在外头玩？"

一句话把叶慎宽噎得半死，气得几个礼拜不理她。

守守没睡好，第二天醒得迟了，索性打电话请了一天假。到中午的时候接到电话，原来盛开才知道纪南方出了车祸，盛开忍不住责备她："守守，你也太过分了，南方出了事，你怎么不去医院看看他？"

"我已经去过了。"

"去过了就行了？你现在应该待在医院，好好照顾南方。夫妻二人，应该是患难与共，互相照顾。这种时候你怎么就一点也不着急上心？你这是什么态度？"

守守只得再到医院去，想起昨天纪南方抱怨医院的病号服根本没法穿，她犹豫了一下，打电话给纪南方的司机，让他拿了两套纪南方的睡衣，自己顺便送去医院。

等到了医院，刚进走廊就已经看到盛况非凡。里里外外摆满了鲜花水果，料想是一拨狐朋狗友都知道了消息，纷纷前来探望。远远就听到陈卓尔语重心长一本正经的声音："以我专业的眼光从X光片上看，我觉得不是折了腿，倒像是闪了腰。南方，往后可要悠着点啊。"病房里顿时轰然大笑，她推门进去，一堆人兀自笑得东倒西歪，见着她才收敛些："哟，守守来了。"

她随手把袋子搁在一边，纪南方偏偏注意到了："拿的是什么？"

守守说："睡衣，昨天你不是说要换衣服？"

"哦！"陈卓尔带头起哄了，"咱们还是回避吧，别妨碍南方换睡衣！"

另一个啧啧连声："恩爱啊，这不是眼馋咱们么？咱们这些打光棍的，万一不小心受点伤，连睡衣都没人帮咱们换啊！"

还有人唯恐天下不乱："哎，那个全国'五好文明家庭'是不是又要评比了？"

"这事包我身上，包在我身上！"陈卓尔直拍胸口，"甭说全国'五好文明家庭'了，就算是全国'五一'劳动奖章，我也给他们两口子弄一个！"

"滚！"纪南方笑着骂，"你们就欺负我现在动弹不了是不是？"

"谁说你动弹不了啊，咱们不妨碍你动弹。"陈卓尔挤了挤眼睛，一帮人轰然大笑，然后一哄而散，纷纷都走了。连陈卓尔也走了，随手还替他们带上门。

屋子里只余下守守跟南方，纪南方笑着说："别理他们，一群流氓。"

守守把袋子放在床边："我给你拿了两套睡衣，回头护工来了，叫他帮你换吧。我先上班去了。"

"你今天还上班？"纪南方似乎有点失望，又说，"你晚上能不能过来一趟？我妈说晚上要来看我。见不着你在这儿，又该口罗唆了。"

"我晚上就不过来了。"守守却仿佛下了什么决心，说，"但咱们俩的事，你还是早点让爸爸妈妈知道的好，我怕到时候他们接受不了。"

纪南方本来挂着点滴，听到她说这番话，仿佛没听见，只看着那药水往下滴，一滴一滴，不紧不慢地落着。病房里本来就非常安静，守守觉得安静得都有点让她害怕，因为她听到自己的心跳声，又急又快，怦怦怦怦……像是快跳出嗓子眼来。过了好一会儿，纪南方才转过脸来看她。守守只觉得他脸色很平静，倒看不出什么来，他的声音也很平静："你什么意思？"

"纪南方。"她碰到了他的手，他的手很冷，冷得像冰块一样，也许是因为挂着点滴的缘故，她说，"我昨天想了好久，你其实对我很好，这三年谢谢你，但我没办法。"

他盯着她，就像从来不认识她，那目光仿佛锐利有锋，他的呼吸渐渐急促，骤然爆发，狠狠甩开她的手："滚！你给我滚！"

守守站起来，抓着手袋，纪南方却仰起身子来，额头青筋迸发："你以为我真稀罕你么？笑话！你要不是姓叶我会娶你？当初要不是我父母逼着我会娶你？你以为你是谁？我以前哄着你，那是因为没玩腻，现在我玩腻了！你想离婚是不是？离就离！你以为我稀罕你？你现在就给我滚！滚！"

守守从来没见过他这样子，连眼睛都是通红的，仿佛喝醉了酒，又仿佛变了个人，是她不可能认识的人。她觉得害怕，往后退了两步。而他指着门，又说了一声："给我滚！"

离婚比她想像的要复杂许多，双方父母态度都十分坚决，纪南方虽然同意离婚，但他父亲大发雷霆，把茶杯都摔了，只差没有亲自去医院将纪南方痛骂一顿。

盛开的态度更坚决："守守，你到底是中了什么邪？你跟南方过得好好的，为什么要离婚？"

"妈妈，我不爱他。"

"你当初非要跟他结婚，妈妈就劝过你，说他并不是最适合的人选，但你一意孤行。如今既然结了婚，你就应该认真地对待婚姻，对待家庭。怎么可以这么轻率，说要结就结，说要离就离？你爸爸昨天打电话回来，问起你跟南方的事，我都不知道要跟他怎么讲才好。守守，你不是小孩子了，怎么可以这样幼稚？"

南方的妈妈则亲自来见守守，语重心长："守守，妈妈知道南方有这样那样的毛病，这几年委屈你了。但一日夫妻百日恩，怎么随便就说要离婚呢？是不是他在外头胡来？你放心，妈妈一定替你教训他。等他一出院，让他陪你出国散散心，出去走走，换个环境，好不好？你们两个啊，真是孩子气，他爸爸最近被他给气的……唉，守守，不管南方做了什么错事，你看在妈妈面子上，先原谅他好不好？给他一个机会，他要是再不改，回头让他爸爸收拾他，好不好？"

连叶慎宽都骂她："守守，你有点理智行不行？你知道离婚意味着什么？你忍心叫你父母为难成这样？你就算不替别人着想，你总要替你父母想想，婚姻岂同儿戏！你别以为我不知道是易长宁回来了，我告诉你，你要真为了那姓易的好，就叫他离你远点！"

守守又惊又怒："大哥，你要是敢动易长宁，我就死给你看！"

叶慎宽气得拂袖而去："鬼迷心窍！"

这样不到一个月，守守很快瘦下去，过完年后上班，和江西一块儿吃饭，仍是心不在焉。

阮江西看她拿着刀叉，把牛排切得细细碎，忍不住说："你真是自寻烦恼。"

守守叹了口气，江西说："我真受不了你，早知今日，何必当初！"

守守赌气："不管了，我要向台里申请休假，出去度假。"

江西噗地一笑："你就算逃到天涯海角去也要面对现实。"

守守说："我没有逃避现实。"

江西说："你就继续嘴硬吧你。"

话虽这样说，其实年后电视台正忙得不可开交，江西抽空去了趟医院，看望纪南方——纪南方见着她倒挺高兴的："哟，你可是稀客，昨天辰松来了，今天你又来了，我都觉得自己是真受伤了。"

江西不过微笑："我本来想跟守守一块儿来，但她去青岛录节目了，最近他们忙得要命，你没看到守守瘦的，脸只有巴掌大了。"

纪南方倒没接着她的话往下说，反倒跟她开玩笑："你怎么一个人来啊，不带辰松一块儿，你们俩吵架了？"

江西本来比他小几岁，但跟他说话向来随便，所以也半开玩笑半认真地说："我跟辰松倒没吵架，你跟守守吵架了吧？"

没想到纪南方竟然笑了笑："吵什么啊？我都同意离婚了，还有什么好吵的？"

江西倒没想到他会这样坦白，看他的样子像是满不在乎，不由得怔了怔。

纪南方却已经转开脸去，望着窗外，不知道是在看什么。江西顺着他的目光望去，只见阳光晴暖，难得的好天气，树叶还没有发芽，光秃秃的几枝斜丫伸过窗前，仿佛工笔的几抹疏影。她收回目光，却看到床头柜上放着一只红色保温桶，非常普通的塑料保温桶，半新不旧，可是洗得很干净，包括白色的手把，被洗得一尘不染。她想这不像是纪家的东西——正巧纪南方转过脸来，看到她看那只保温桶，不知道为何对她解释："一个朋友给我送了点鸡汤来。"

江西知道他风流债不少，不过这样的物件，真不像是他那些红颜知己常见的作派，那些女人从衣着打扮到化妆，无一不精致得楚楚动人，哪怕往医院送份鸡汤，只怕也会用ZOJIRUSHI之类的精美饭盒。自己反倒是曾经在哥哥的病房里见过类似的保温桶，寻寻常常，普普通通，却那样令人动容。这么一想起来，心底顿时好生难过。

　　江西没在病房里耽搁太久，因为陪纪南方聊了一会儿，护士就来换点滴药水了，她趁机告辞。出来就给守守打了一个电话："你是真要离婚？"

　　守守被她劈面问了这么一句，只觉得没头没脑，脱口答："当然啊，你怎么突然问这个？"

　　江西叹了口气，说："你们两口子，也许真是配错了。"

　　守守诧异："你这又是发的哪门子感慨？"

　　江西说："没什么。"她顿了一顿，终于只是说，"守守，我只是希望你幸福。"

我知道你很难过

【十九】

守守把电话挂上，不由得站在窗前出神。

落地窗外就是一线碧海，中午的太阳正艳，而海面上有点点白帆，是国奥队在进行例行的训练。阳光落在人身上已经颇有炽意，风吹得雪白窗纱飘飘拂拂，把她的头发吹乱了，颈间的丝巾也被风吹得飘扬起来，痒痒地拂过脸。她想起来，这条丝巾还是纪南方送给她的，那是他们刚结婚的时候，本来第二天一早的航班出发，去度蜜月。所以早晨起来，刚刚刷完牙，他不知什么时候进了洗盥间，从背后搂住她，亲吻她："早！"

她还不太习惯这种亲昵，只含糊应了声。他却拿出条丝巾送给她："给你的。"

结婚前他也送过礼物给她，大部分是贵重的首饰，其实是代长辈送给她。她总是礼貌地道谢，然后回家就放进首饰盒。

真丝触手柔软，仿佛一缕云，绕在指尖上。黑色底子上白色的花纹，非常漂亮。她本来以为是Hermes之类的牌子，但看图案风格并不像。果然他说："我自己染的。"

守守大吃一惊，像看着外星人一样看着他，倒把他逗得哈哈大笑："没想到吧，我当年的专业可是化学。"

守守只觉得好笑，也不知道他曾用这招哄得多少女孩子团团转。不过这条丝巾颜色大方，配什么衣服都显得百搭，这次出门，她随手带了两条丝巾，没想到其中就有这一条。

门铃又响起来，她去开门，原来是住在隔壁房间的糖糖，对她说："吃饭去吧，接待方请吃海鲜。"

"我有点不舒服。"她其实病了差不多快一星期了，像是感冒了，昏昏沉沉没精神，浑身发软，但嗓子不疼，又不发烧，于是懒得吃药，每天喝瓶金银花露，拖拖拉拉一直没好，"中午我就不去了。"

糖糖知道她最不愿意应酬那些企业家，所以说："那好，你休息一会儿吧，想吃什么吗？我给你带回来？"

守守说："别麻烦了，待会儿我睡一觉起来，自己去吃点粥得了。"

"行，你照顾好自己。"

糖糖走了，房间里重新安静下来，只有风吹动窗帘，有细碎的阳光洒落在床上，守守觉得困倦，于是睡了一觉。

后来被电话吵醒，睡得迷迷糊糊也没有看来电："您好，叶慎守。"

"守守。"

易长宁的声音清凉如水，仿佛带着薄荷的些微香气，令她从昏沉的睡意中渐渐苏醒，他问："忙么？"

"在酒店睡觉。"

"不舒服吗？"他语气中透着担心，"是不是水土不服？"

"不是，就有些累。"

"那有没有力气出来，我请你吃饭。"

守守笑起来："你飞过来吧。"

他在电话里也笑起来："好啊，我马上就飞，你等着。"

话音未落，门铃叮咚叮咚地响起来，守守以为是同事们回来了，一张望，竟然是易长宁。

只觉得如心花盛放，满心欢喜，打开房门扑入他怀中，仰起脸只会笑："你怎么来了？！"

易长宁笑着抱起她："我怎么不能来？"

她被他抱着转了两个圈子，转得头晕，于是轻轻挣脱他的手臂，又仰起脸来看他："你怎么瘦了？"

"你才瘦了呢。"他说，"比以前轻了。"

"怎么突然过来了？"

"过来谈笔生意，所以正好来看你。"

他带她去吃饭，餐厅有落地窗正对着无敌海景，黄昏时分海风烈烈，碎浪千层，一泓碧水镶出无数细白浪花，风景非常漂亮。菜品则是五星级的一贯水准，不过不失，而守守难得好胃口，吃了整碟的鸡汁银鳕鱼。易长宁说："我这是第一次来青岛，我也不知道哪里有好吃的，所以带你来这里了。"

守守喜欢这里的自制酸奶，喝完了似乎意犹未尽，易长宁于是又替她多点一份。

守守说："我倒不是第一次来青岛，小时候跟爷爷奶奶来过几次，大学时还跟同学来过，我可以当半个导游。"

易长宁笑："那好，晚上由你负责导游一下。"

晚上两个人去八大关，一路上的士司机滔滔不绝："两位是来度蜜月的吧？就在咱们青岛拍婚纱照吧，第一浴、第二浴……海景拍出来特漂亮！好多人原本都拍过了，到咱青岛一看，嘿！忍不住又拍第二套。不信明天你们上海边瞧，拍婚纱照的多了去了……"

守守觉得有点难堪，易长宁却很认真，时不时还接话问上两句，哪家影楼的照片拍得好，哪家影楼的后期做得特漂亮，司机如数家珍，最后还给他们一张名片："拿这个，说我介绍去的，人家给打折。"

易长宁道了谢接过去，等到了八大关，下车后他很自然地拖住守守的手，说："我们去吃冰激凌。"

其实八大关到处都是老房子，很多旧别墅，依旧保持了当年的风貌。冰激凌店开在一幢老房子里，灯火通明，远远看去，玲珑剔透如同电影布景一般。

店里只有三三两两的情侣，守守刚吃过了饭，没有胃口，于是只点了抹茶的单球，易长宁叫了一杯咖啡陪她。冰激凌味道很好，守守刚刚吃了两口，忽然硌到了牙。

很俗套的情节，而易长宁只是望着她微笑。

戒指并不大，小小的白金指环，镶了一圈碎钻，正是她喜欢的样式，简单大方。她看着掌心的指环许久，终于笑笑："这招好老套。"易长宁握住她的手，将戒指替她戴上，说："我们公司的小姑娘教我，追女孩子，一定要俗，招数虽然老土，只要真心就好。"

指环大小正合适，他永远如此细心，只要是对她。

　　旁边有对情侣正好目睹，看到他替她戴上戒指，顿时噼噼啪啪鼓起掌来，那女孩子还激动地朝他们直比画手势，侍应生也都笑着看着他俩，整间店里的人都在喝彩，还有人叫："啵一个！啵一个！"非常热闹，喜气洋洋，大家都觉得这一幕甜蜜无比。

　　如此甜蜜，几近不真实。

　　守守的视线渐渐模糊，其实三年前纪南方正式向她求过婚，在叶家，她的房间里。守守一直觉得那天他似乎有话要说，但总是欲言又止。后来他把戒指掏出来，她才明白。中规中矩的钻戒，独粒的大钻石。那时候他样子似乎有点窘，他的手指也是滚烫的，握着她的手，对她说："守守，嫁给我好吗？我会照顾你一辈子的。"

　　那个时候，是真的心灰意冷了，麻木地任由他替她戴上戒指，他俯身亲吻她时，她的唇几乎是冰凉的，可是没有哭。

　　她嫌那枚戒指太重，样式也不中意，几乎没有戴过。而如今，一切都成了枉然。从前等了又等，等了那么久，真到了这一天，却明明知道，这样的幸福，不会真实。

　　她终于把戒指取下来，搁在桌面上。

　　易长宁似乎有点吃惊，只是望着她。她起身往外走去，他叫了她一声："守守。"她走得很快，易长宁追上她，"守守！"

　　她回过头来，他看到她已是泪流满面，他问："怎么了？"

　　她不肯说话，就站在那里，易长宁看着她，路灯将她的影子拉得极长，纤弱似天上一钩云，衬着月光，单薄得不可思议。

　　而她只是看着他，泪眼模糊。

　　他问："为什么？"

　　她几乎不能说话，唯有哽咽。他似乎一下子明白过来，将她揽入怀中："守守……"他说，"我不是逼你，我会等，好不好，我等，好不好？"

他握着她的手："你等了我这么久，现在，我也会等你。"

守守从青岛回来，正好纪南方出院，盛开怕她又不去医院，早早就叫司机来接她。守守因为连日来父母盛怒，也想有所转圜，所以很听话地到医院去。

石膏已经拆了，但纪南方行动还是不怎么方便，他坚持不肯坐轮椅，医生都没辄，正劝得口干舌燥，守守正好来了。

上次他赶她走之后，两人差不多快一个月没见面了，守守只觉得那天之后纪南方就像变了个人似的。今天再见着亦觉得陌生，虽然他还是那样子，不过脸上带着几分不耐烦的神气，可是自从结婚以来，他从来没有待她这样冷淡。她不过说了句："还是听医生的吧。"他就冷冷瞥了她一眼，于是她就闭上嘴，不再说话。

最后他到底没有坐轮椅，被人搀进电梯里。下到七楼时有人按键，进来个女孩子，似乎还是学生。眉清目秀，留着一头长发，背着双肩包，手里还提着一只红色的保温桶。她看了守守一眼，然后就垂下眼帘，很安静地站在电梯的一角。电梯的四壁如同镜子一样光亮，守守见那女孩子正从反光中偷瞥自己，以为是自己最近在节目中上镜多，被认出来了，也没有多想。

上了车守守才问："你回哪边？"

"回家。"

那就是回纪家了，守守于是不再做声。车开得不快，来接他们是纪家的司机，眼观鼻鼻观心，专心开车，对后座的情形似乎完全视若无物。偏偏是周末，路上堵得一塌糊涂，车子塞得动弹不得，好半晌才往前挪一下。守守觉得气氛沉闷，纪南方拿着手机发了条短信，她觉得很意外，因为他不论对任何人都是打电话，向来不耐烦那些输入法。估计这阵子在医院养伤实在无聊，连发短信都学会了，不过一会儿，有嘀嘀的蜂鸣，大约是短信回过来，他看后却抿了抿嘴，唇线几乎绷成一条线。守守认得他快二十年了，知道他这样子是不耐烦到极点了。

但是他不说话，她也懒得问。或许纪南方觉得累了，随手撂开手机后，一直闭目养神，守守于是看车窗外，堵堵停停，走了快一个多小时才到家。

纪妈妈在家，看着纪南方被搀进来，心疼得无以复加："你看看，弄成这样……"

"妈！"纪南方不耐烦地打断她，"我累了！"

"好……好……"纪妈妈说，"我已经叫人放了水，叫守守帮你洗个澡，医院里一定不舒服。洗个澡好好睡一觉，休息一下。"

"守守还有事呢。"纪南方说，"她们台里要加班，回头我自己洗就行了。"

"胡说！你看你连站都站不稳，还逞什么能？"纪妈妈呵斥了他，又转过脸来对守守说，"今天周末，怎么还要加班？南方今天才出院，确实是特殊情况嘛。这样，我叫人打电话替你请几天假，在家帮妈妈照顾一下南方，好不好？"

守守知道她会说到做到，这样的软硬兼施，自己根本没办法拒绝，只得低声道："妈，我自己打电话请假就行。"

"好孩子。"纪妈妈赞许地拍了拍她的手，又白了纪南方一眼，"不让你媳妇帮你洗澡，你都这么大了，难道还让我帮你洗？"

这么一说，正端茶上来的阿姨都"噗"地笑了："南方那是害臊呢，他小时候咱们替他洗澡，还拍过一个带子。"

"对对！"纪妈妈也笑了，兴致勃勃，"还是那种老式的家用摄像机拍的，我去找找，带子搁哪儿了，这个片子顶有意思，他爷爷当时就最爱看，看一次笑一次。"

这样说笑着，浑若无事，纪南方却冷着脸："妈，让她回家去吧，有什么意思？"

"你胡说什么你？"纪妈妈嗔怒，"去洗澡！从医院出来，看着就脏！"

他没再吭声，掉头一瘸一拐地往后面走，纪家的房子是那种旧式的大宅子，一路都是青石砌。纪妈妈轻轻推了推守守："去啊！"守守无奈，只得追上去，扶他下台阶，又上台阶，进了垂花门，他们的房间在后院东厢，顺着抄手游廊进去，一明两暗，改成客厅与睡房。当初结婚的时候重新装修过，所以外面看上去毫不起眼，里面其实布置得很舒适。但他们婚后很少回来住，所以守守进门之后，只觉得陌生。

守守去洗澡间看了一看，洗澡水已经放好了，纪南方拿了浴袍，说："你在这坐会儿吧，等我妈睡了你再回去。"

守守点了点头，他就进浴室去了。

这屋子里都是一色的旧式家具，一张软榻还是古色古香的样子，守守觉得无聊，坐下来随手翻了翻茶几上放的刊物，看上头出刊日期还是两个月前。因为负责清洁的阿姨是不会动这些东西的，所以照原样搁在这里，想必纪南方也很少回家来。

很无聊的内部刊物，她翻了两页就觉得困，掩口打了个呵欠，把杂志搁在了一边。

醒的时候只觉得一片漆黑，原来天已经黑了，屋子里没有开灯。她睡在那里没有动，压得胳膊肘发麻，身上倒盖着一条毯子，睡得口渴，也饿了，胃里十分难受。

纪南方不知道到哪里去了，她推开毯子起来，走到门口才隐隐绰绰看到他坐在假山旁的石凳子上，她想着天气虽然热了，但夜里石凳毕竟凉寒，他这样坐着，万一被纪妈妈看到，一定又要挨骂。所以走过去，打算叫他进屋里去。

走得近了才发现他在打电话，忽然听到他说："谁要为难那姓易的啊，我可从来没说过这话……"听见脚步声，猛然就回过头来。

守守站在那里，一动不动看着他，两边抄手游廊下，点着一盏盏灯，照见院子里花木扶疏，枝影婆娑，而她站在那里，整个人却在忍不住微微发抖。

纪南方看着她，顿了一下，对电话那边的人说："我这有点事，回头咱们再说。"

他把手机合上了，守守只觉得站不住，仿佛腿发软，扶着那株海棠树，胃里也翻江倒海一般，只是恶心欲呕，太阳穴砰砰直跳，仿佛有谁拿大锤子在那里狠命锤着，锤得每一根神经都牵连到心脏，连呼吸都变得困难而急促。纪南方慢慢站起来，他本来行动不便，朝她走了两步，又停住了，也许是腿伤疼，他的表情很奇怪，既不像愤怒，亦不像是别的，只是定定看着她。

守守也看着他，乌黑明亮的眼眸，怔怔地看着他，过了好一会儿，才慢慢地说："三哥……"

他又是那种奇怪的表情，转过脸去："别叫我三哥！"

"纪南方。"她一字一顿地说，"哪怕我们这夫妻做得没意思，但这么多年，我一直觉得你不是坏人……"她只觉得急怒交加，"没想到你这么卑鄙！你除了玩阴的你还会什么？你除了用这种见不得人的手段你还会什么？你除了会仗势欺人你还会什么？我没想到你会是这样子！你真让我觉得恶心！"

他瞧着她，像从来没见过她的样子，过了会儿，他转开脸去，竟是一副满不在乎的腔调："我知道你恶心我，你心疼那姓易的是吗？我告诉你，你心疼他的日子还在后头呢！"

【二十】

守守只觉得急痛攻心："我瞎了眼才会嫁给你！"

他竟笑了一笑："后悔了是不是？我知道你早后悔了，当年我要不把你睡了，你肯跟我结婚？当年你要不是为了你妈那事，你会跟我结婚？你不就为要让你爸心存顾忌？！叶慎守，你别以为我不知道，别以为我不知道你那点算盘！你在我面前玩这套你还太嫩了点！我装了这三年的糊涂你觉得还不够吗？你还想让我怎么样？行！你爱易长宁，行啊，只要你离得了这婚，只要你能，你就去嫁给他！"

守守用尽了全身的力气，狠狠甩了他一记耳光。

纪南方本能地将脸偏了一下，但还是打在了脸颊上，清脆响亮。

守守往后退了一步，心里模模糊糊想，他知道，他竟然全都知道，而且还这样说出来，连半分情面都不留，这样赤裸裸地说出来，把她根本连想都不愿意去想的动机说出来。这样龌龊，这样难堪的真相都说出来。她心里只有一个念头，离开这里，这里不能再待了。她跟跄着顺着游廊往前走，跌跌撞撞，只是往前走……纪南方只是看着她，看着她跌跌撞撞往外走，他忽然追上来，抓着她的手："守守！"

她拼命地挣扎，挣脱他的手，他力气很大，又箍住她的腰："守守！你听我说！"

她不做声，只是激烈地挣扎，他想把她的脸扳过来，她顿时想起那天在酒店套房里，种种可怕的回忆一股脑涌现，恶心、恐慌、惧怕、疼痛……她瑟瑟发抖，挣扎得更用力，拳打脚踢："你放开我！"她踹在他的伤腿上，他疼得弯下腰去，她掉头往外跑，他仍旧追上来，声音里竟有一丝慌乱："守守……"

她强忍住一阵阵的恶心反胃："你别过来……"

他嘴唇微动，像是想说什么，他终于抓住了她，只是紧紧攥着她的手："守守，你听我说，不是那样！"她挣不开，又气又急又怒，怎么挣都挣不开他的手，她又踢又打，他只好更用力地钳制着她，她呼吸急促，只觉得眼前一切渐渐发虚，仿佛找不到焦点，又仿佛镜头里用了滤镜，天与地模糊起来，晃动起来，然后急速地旋转……她身子晃了一晃，终于倒下去了。

她仿佛做了一个梦，梦到小时候被父亲带着去看烟花，那时候国庆节总有大型的焰火晚会，满天绚丽的姹紫嫣红，万点金芒在夜空织成最绚烂的花，一朵接一朵盛开，就像是把最绮丽的水钻银花堆砌在黑丝绒般的天幕上，那样美丽，那样繁华，集中一个孩子全部的梦想，如同梦幻中的花园。而她仰着小小的脑瓜，连脖子都仰酸了，那时她紧紧牵着妈妈的手，另一只手则牵着父亲，一家三口，永不分离。

慢慢地就哭了，也许明明知道，幸福不过是一场焰火，再美再好，都转瞬即逝。

她的手一直被人握着，醒来后才知道原来真的是妈妈，盛开一直握着她的手，连纪妈妈都关切地守在床前。屋子里有医生护士，章医生也来了，笑眯眯地看着她，说："好啦，醒了。"

"可把妈妈吓死了！"盛开埋怨，"你这傻孩子，稀里糊涂的，真是不懂事。"

纪妈妈则说："我把南方骂了一顿，你们两个都是糊涂蛋！幸好没事，守守，你怎么不告诉妈妈呢？还有南方……"她回头叫，"还不过来，给守守赔礼道歉！"

纪南方僵在那里不肯动，纪妈妈恨铁不成钢："你成天就会怄守守生气！你没听医生说吗？守守有先兆流产迹象，你要敢再惹守守生气，看我怎么收拾你！"

纪南方这才抬起头来，而守守脑中"嗡"的一响，顿时只觉得一片空白。

她月事迟了一个多月，因为心事重重，又因为出差往返，只当是水土不服，倒没有注意。况且这两年很少跟纪南方在一起，更是不曾往这上头想过。

盛开只觉得她手又冰又凉，于是轻轻拍了拍，说："你跟南方都年轻，真是一点也不懂事，这样的事岂能开玩笑？怀孕了为什么还瞒着我们？今天万一闹出什么好歹，可怎么得了？"

"让守守休息会儿吧。"纪妈妈也觉得守守脸色苍白得惊人，仿佛没有半分血色，不由得忧心忡忡，"闹了这大半宿了，有什么事过两天再说。医生不是建议守守卧床休息？这两个孩子，简直让人操不完的心，唉……"

"妈妈……"守守嘴唇微微哆嗦，低声叫住盛开，"我想回家……"

"医生建议你静养。"盛开安慰似的抚摸着她的手，"过两天回家去，好不好？妈妈每天来看你，再说这里跟家里一样，也是你的家啊。"

"妈妈……"

"别耍小孩子脾气，你也是要当妈妈的人了……"盛开替她掖了掖被角，"乖。"

守守拉着她的手不肯放，盛开陪她说了好一会儿话，但终究夜深了，她第二天还有重要活动，不得不先回家去了。

所有的人都走了，守守才掉下眼泪。

一颗接一颗，无声地落在被面上，浸润进去，缎子面的绣花，绣的是梅花，眼泪落上去，洇开一片……纪南方站起来，声音喑哑："对不起。"

她坐起来，却别过脸去，只觉得难过，眼泪争先恐后地涌出来……

纪南方有点艰难地说："守守……我没想到……我真的没有做什么……哪怕你不相信……就是一个朋友给我打电话，告诉我说易长宁的公司出事了……"

守守猛然回过头来望着他，他仿佛被她的目光刺痛了，转过脸去回避她的直视，过一会儿，终于还是走了过来，走到床前面："守守，你信我这一次好不好？我真的什么都没做。我惹你生气，其实是因为我心里难过。我受不了……我就是受不了你那样对他，所以我才故意说那些话气你……"他仿佛语无伦次，"可是后来你往外面走，我那时候才觉得，如果我让你走了，我们两个就真的完了。我心里害怕，才会去拉你……我没想到你有孩子，我……"他有点狼狈，伸手想要触摸她，她却本能地往床里头缩一缩，避了开去。

"守守……"他低声下气，"我是真的鬼迷心窍才会那样说，你相信我一次好不好？"

守守胡乱地拭了拭眼泪，把脸仰起来："你要我怎么相信你？"

他整个人仁在那里，无意识地抓紧了床罩上的流苏，又慢慢松开。他看了她一眼，眼中竟然只有哀凉，她自欺欺人地转过脸去，过了好久，才听到他的声音，低得几乎不可闻："守守，我只是不知道该怎么样对你。这几年，无论我怎么努力，你都……到最后我都觉得灰心……可是今天我后悔了……看着你往外头走，我就后悔了……"他抬起眼睛，"守守，我知道我不好，但你——给我们个机会好不好？"

她却奇异地镇定下来，平静而冷漠地说："算了，别费劲了，我知道你的意思，你不就是因为我怀孕了吗？你不就是想要这孩子吗？你以为这孩子是你的？我告诉你，这孩子是易长宁的。"

他整个人猛然一震，死死地盯着她，手不由得举起来，她反倒很自然地把脸一仰，看到他眼中一闪而过的愤怒，可是更多的竟然仿佛是悲哀。她有点不太确定，因为他很快握紧了拳头，她冷笑："想揍我是不是？你不敢，谁叫我姓叶呢？我要不是姓叶你会娶我？要不是你父母逼着你会娶我？我就给你弄顶绿帽子戴着，没关系，只要你忍得住，咱们就这样耗着。等孩子生下来你再做亲子鉴定，我就怕你到时候受不了那种刺激！"

她也不知道自己为什么会这样说，可是仿佛唯有这样，方才能平息胸口那团炽痛，如同陷阱里绝望的小兽，只得拼命撕扯自己的皮毛。她的每一个字都仿佛一支小箭，嗖嗖地往他身上射去，带着无比的痛恨与憎恶，他只觉得浑身发抖，用尽了全身的力气才能控制自己不向她挥拳，在这一刻他精疲力竭，连声音都带着一种嘶哑："叶慎守，你知不知道，你很残忍？"

她终于爆发："那你呢？你不残忍吗？你能不能放过我？让我去过我想要的生活？你为什么要强迫我陪着你，成天逢场作戏，一辈子困在这种牢笼里？你明明答应和我离婚，为什么又反悔？只因为我怀孕了，你想要这孩子，你们纪家想要这孩子？残忍？你的所作所为才叫残忍！我恨你！纪南方，我从来没有这么痛恨过一个人，厌恶过一个人！可是你的一切都让我觉得痛恨，觉得厌恶！你只会出尔反尔，自私自利！我爱长宁你知道吗？我爱他！你知道吗？算了吧，你永远也不会明白，因为你根本不懂什么叫爱情！你除了花天酒地你懂什么？你除了玩女人你知道什么？你根本就不会理解，你知道爱一个人是什么样子吗？你知道什么叫爱情吗？"

他沉默了很久很久，才自嘲般笑了笑："是啊，我不知道。"

他转身朝外走，走得太猛太急，撞在茶几的角上，正好撞着那条伤腿，他重重地摔下去，大约摔得狠了，过了好一会儿才挣扎着爬起来。可是没有出声，也没有回头，只是摇摇晃晃，扶着墙走掉了。

守守伏在被子里，失声痛哭，哭了又哭，枕头哭湿了，冰冷的缎子面贴在脸上，她仍一动不动伏在那里抽泣着，纪南方虽然走了，事情却没有变。她是没有办法了，因为这个莫名到来的孩子，这个意外萌芽的胚胎，她是再也没有办法了。她这一辈子，都要被困在这里。怎么逃也逃不走，怎么挣也挣不开。

她只在纪家住了三天，因为纪南方从那天走后，一连三天不见人影，纪妈妈自然十分生气，连盛开也略有微词。所以守守打电话要回家，她也就松了口，将守守接回家。这下子连纪老爷子也被惊动了，发了一顿脾气，终于让人把纪南方找着。

守守一直在家里休息，没有去上班，虽然医生嘱咐她卧床，但因为纪南方要来，她还是换了件衣服起来了。

她卧室窗外正有一树海棠，开得春深似海，满树繁花绿叶，如织绣堆锦，引得无数蜜蜂嗡嗡绕飞。因为天气渐暖，守守坐在窗前，看着那树发呆，过了好一会儿转过脸来，才发现纪南方早已经来了。他站在那里一动不动，似乎也在看那花树，她一转过脸来，他就也转开了目光。

宋阿姨本来陪着纪南方上来的，见到这情形，静悄悄就走开去了，随手替他们带上门。

守守说："坐吧。"

他的腿现在还不能久站，于是他很安静地坐下来。两个人好一会儿都没有说话。

这几天来，守守费了很多周折，打了许多电话，最后托江西才打听到易长宁出了什么事情。原来易长宁在国内主要的合作客户公司的总经理去香港出差，突然在港离奇失踪，而他的妻儿早已经移民国外。有人匿名举报他是畏罪潜逃，引得警方生疑，追查下来，发现此人不但有利用职权进行境外洗钱的嫌疑，而且涉嫌在多宗商业招投标中收受贿赂。

易长宁的公司一直是这家公司的重点合作伙伴，当然也属协助调查之列。警方经过调查，发现一年前这位总经理的儿子申请去国外深造，易长宁赫然是担保人。而且招投标中，获利最大的亦是易长宁的公司。罪魁祸首已经失踪，巨大的商业案件浮出水面，易长宁难以证实自己的清白，已经被限制出境。公司也正在被审计，接受全面调查。

这一切都像是个精心布好的局，每一个环节都完美得不可思议。

守守想了又想，并没有给易长宁打电话，只是问了几个相熟的律师，但基本上都觉得棘手："这种经济案件，一旦追查起来就麻烦了，因为没一家公司敢说自己是干净的。公关费、回扣、顾问费……哪家公司没打过这样的擦边球？要是认真，十有八九能查出事来。"

守守一筹莫展，翻来覆去想了好几天，虽然艰难，终于还是下了决心。

她对纪南方说："纪南方，我不离婚了，但是……请你放过易长宁。"

他的反应很出乎她的意料，既没有嗤之以鼻，也并没有勃然大怒，只是非常平静地注视着她。过了良久，他甚至笑了一笑："守守，来之前我就想过，你会不会说这句话，结果，我果然没有猜错。"

她默然不语，他声音十分的平静："我们离婚吧。"

守守看了他一眼，又转过脸去："算了，当我没有说过。"

他仍旧没有看她，只是侧过脸去，看着窗外那株开得正好的海棠花，又过了好一会儿，才说："你要是真不想要这孩子，就不要了吧。"

守守没想到他会这样说，有点意外地看着他，而他并没有转过脸来，窗子有一半阴影正好挡在他脸上，所以她也看不到他是什么表情。

"为什么？"

他没有回答她，守守有一种无法言喻的迷茫，仿佛不知道到底是怎么了，她从来没有过这样的感受，于是又问了一遍："为什么？"

他始终没有回过头来看她一眼，只是淡淡地说："我真的爱上了一个人，我希望可以给她幸福。"

守守迷惘而困顿地看着他。

他忽然笑了笑："其实你见过她，不过你不知道罢了——那天在电梯里，她跟我们一块儿下楼。她坚持要见见你，我只好答应。我是真的——真的很爱她。"

守守蓦得想起来，那个拎保温桶的少女，曾经从反光中偷偷打量自己。原来就是她——可是怎么也想不起来她到底长什么样子了，只记得一头长发，气质仿佛温婉，跟平日纪南方的女伴相去甚远。她心绪零乱，不知道在想些什么，只听他说："我住在医院里，她给我送鸡汤，每天都送。从她们学校到医院，要地铁再换两次公交，差不多要两个小时。但她每天都来。陪我说话，讲她们学校的事给我听，给我解闷，让我高兴。守守，她是个好姑娘，我不打算辜负她，我知道将来的事很难说，但我决心试一下，我想跟她结婚。所以，我们离婚吧。"

　　守守仿佛有点意外，于是问："你以前为什么不说？"

　　他又顿了一下，说："她觉得介入我们是很不光彩的事情，怕伤害你，后来我跟她说了我们之间的事，我跟你在一起，不过是因为长辈们的压力，这样对谁都不公平。"

　　守守惘然地看着他，就像看着一个从来不认识的人。

　　他说："守守，是我对不起你，我们离婚吧。"

【二十一】

　　她却没有如释重负的感觉，只是有点发怔地看着他。他说："我知道，你根本不想要这孩子，是我硬……"他终于回过头来，看了她一眼，他的眼睛发红，沁满了血丝，也许是没睡好，也许是这些话太难以出口，"你要是……"不知道为什么，他的声音似乎有些发涩，有些语无伦次，"我陪你去医院……"

　　她嘴角动了动，最后终于说："要是爸爸妈妈知道了怎么办？"

他重新转过脸去，凝视着窗外那棵花树，春日艳阳斜斜，已近黄昏时分，那一团团、一球球、一簇簇的花瓣花朵，像是千只万只蝴蝶，簇拥在绿叶中，点缀着明媚春光。

最后，他说："我们先瞒着他们，不让他们知道。"顿了顿，他又说，"要不我先接你回我的公寓，过两天再做手术，这样他们就不知道了。"

守守只觉得气闷，原来他早就考虑好了，连后路都留好了。也许是房间里不通风，但窗子明明开着。她也不知道为什么烦躁，心烦意乱地说："随便。"

他又有很长时间没有说话，守守自欺欺人地转开脸去，望着窗外。屋子里安静得如同深潭，听得到那些绕树的蜜蜂，发出嗡嗡的蜂鸣。

守守本来以为他已经走了，回过头来，才发现他仍旧站在那里。

这一次他没有看窗外的树，而是在看她，但她一转过脸来，他已经避开了她的目光，她根本来不及看清他的眼神，但他的脸色仿佛很苍白，也许是累的，因为他的腿还在恢复期，一直在做复健。

她问："你腿好些了吗？"

他短促地说："瘸不了。"又说，"我先走了，明天叫司机来接你。"

守守在家闷闷地睡了一天，盛开只当她是怀孕初期情绪不稳定，而且又和纪南方闹别扭。所以第二天见到纪南方来接她，盛开很是高兴，再三叮嘱纪南方："好好照顾守守，她从来就不懂事，如今不像平常，你们都不是小孩子了，多看着她点。"

纪南方答应了，看守守从楼上下来，本来说好是司机来接，守守倒没想到他亲自来了。

上了车她才问："你怎么来了？"

"顺路。"

其实多半是怕盛开不允，自从上次闹过一场，两边的父母都觉得他们是鬼迷心窍，如今有了转机，自然盯得格外紧。

结婚后她从来没再来过纪南方的这间公寓，没想到大厦的私人管家竟然可以一眼认出她，非常彬彬有礼地问候："纪太太，您好。"

"您好。"

管家替他们开门，然后非常安静地退走了。

三年没来，屋子里的一切似乎并没有什么变化，因为有专人清洁整理，所以倒是窗明几净，一切都井井有条。

他说："我本来想让王阿姨过来，也好照顾你，但是怕爸妈知道，所以……"

守守说："没事，我挺好的，不需要人照顾。"

他问："要不你上楼休息一会儿？晚上想吃什么，我打电话订餐。"

守守摇了摇头，其实她没什么胃口，只觉得累。

走到二楼卧室去，卧室里仍旧是从前的样子，简洁的黑与白，家具也没有变化，不知道纪南方有多长时间没回来过了，虽然纤尘不染，到底清冷得令人觉得空旷。

他跟着她一起上楼来，看她一脸的倦色，于是说："你睡吧，我就在楼下，有事你叫我。"

他似乎已经不太愿意与她独处，同她在一起的时候总是有意无意避开她的目光，说完就转过身，带上了门。

守守觉得累极了，却没有睡意，只是躺倒在床上，却无法合上眼睛。

枕头上有淡淡的香水味，没想到连这里他也曾带过别的女人来。想到这里她立刻觉得作呕，只得马上起来，跑进洗手间。吐又吐不出什么来，只是呕些清水。

攀着洗脸台她只觉得无力，仿佛是站不稳，镜子里看到自己苍白的一张脸，活像是鬼一样。她浇水洗着脸，想把头脑里那些肮脏的景象洗掉似的，一遍又一遍，直到最后，有些虚弱地抵在墙壁上。

她不愿意在这里呆了，于是抓着毛巾，胡乱擦了擦脸，走下楼去。

楼下静悄悄的，她转了一圈，站在了视听室门口。

门是虚掩着的，她轻轻推开，里面暗沉沉的，只有光影闪动，却非常安静。

借着银幕上那点闪动的光亮，她看他一个人独坐在前排沙发里，一动不动。

是部很旧的电影——《卡萨布兰卡》，不知道为什么他没有打开音响，屏幕上亦没有字幕，如同一部默片，只看到银幕上的英格丽·褒曼偶尔一笑，粲然若一道闪电，几乎令人觉得眩目。

她看过这部片子很多遍，但从来没有这样无声无息地看过，银幕上的人在微笑、迟疑、犹豫、叹息、回忆、痛楚、挣扎……

经典的一幕终于无声无息地出现，她仿佛能听到那熟悉的音乐，其实视听室里安静极了，直到"咔嚓"一声脆响。她吓了一跳，原来是纪南方打着打火机，小小的火苗燃起的瞬间映亮了他的脸，他的脸上隐约竟然有泪痕。他点燃了一根烟，然后，那点小小的红光就燃在他唇边，微微地发颤。

守守站在那里一动也不能动，这么多年，她从来没有看到过他哭。因为他比她大，又是男孩子，小时候就从来没有见过他哭。长大后更不会了，他那样意气风发一个人，怎么可能会流眼泪？

只是一场电影，形形色色的人，来了又去，聚了又散，没有声音，台词都化成银幕中人物唇形上模糊的形状。

守守第一次发觉自己对这部片子不熟，因为她竟然不知道主角们在说什么。

"Of all the gin joints in all the towns in all the world, she walks into mine."

这句台词，已经说过了吗？

第一次看这部电影时，她为这句话感动了好久，命运便是如此安排，爱了就是爱了，都是命运。哪怕理智上如何挣扎，都不过没有办法。

原来她以为只有她自己在这样的绝境中挣扎，没想到如今纪南方也会遇上这样一个人，令他难以自拔到如此地步。

她嘴里又苦又涩，喉咙也发痒，一时忍不住，咳出声来。

纪南方似乎被吓了一跳，连嘴边的那星红芒都滑落下去，顾不上烟掉在地上，他仓促而狼狈地转过脸来，看到是她，于是站了起来，声音带着丝喑哑："你怎么下楼来了？"

不知为什么她仿佛有点心虚，连声音都低低的："我睡不着……"

其实他看不清她的表情，她也看不清楚他是什么表情，两个人都融在黑暗里，偶尔光影一闪，是银幕上换了场景。

他问："饿不饿？要不要吃什么？"

她摇了摇头。

"你还是睡会儿吧。"他说，"你都习惯了睡午觉。"

"我不喜欢那床。"

他没有再说话。

气氛一时有点僵，守守最后终于说出来："你安排她跟我见个面吧。"

纪南方似乎并没有听懂："什么？"

"那个女孩子。"守守说，"我想跟她见个面。"

纪南方声音有点不太自然："没那个必要吧。"

守守坚持："我想见见她。"

他犹豫了几秒钟，说："那我打个电话。"

他走开去打电话，讲了很长时间，他说电话的声音很低，守守听不到他在说些什么，大约十来分钟后他才挂上电话，然后问守守："晚上可以吗？她下午有课。"

这是守守除了长辈之外，第一次迁就别人的时间。更难想像纪南方肯这样迁就，从来都是女人等他，而如今他似乎觉得天经地义，这样的事情，显然已经不止一次。

守守已经开始觉得困惑，她在想，是什么样一个人，才会让纪南方像今天这样反常。

约在一间咖啡厅，纪南方似乎比她更心浮气躁，因为坐下来之后他已经看过两次手表，守守说："要不叫司机去接她吧。"

"不用，她自己搭地铁过来。"他问，"你要不要先吃点东西？"

她只是摇头。

他叫过侍者，给她点了份Cheese Cake，她原来很爱这种甜食，但近来吃什么都没有胃口，只勉强尝了一口，正好没过多久人就已经到了，于是推开碟子，细细打量。

纪南方很简单地介绍："张雪纯。"

名字很秀气，人也非常秀气，守守上次没有看清她的正面，这次仔细地打量，只觉得五官清丽，非常的腼腆温柔。有些局促地端正坐着，手里还紧紧抓着背包的带子。浓密的长睫毛不安地颤动，偶尔抬起眼睛来，仓促如小鹿般清澈的眼波一闪，怯然而纯净，跟她想像的完全不是一种样子。

守守问："张小姐还在读书吗？"

"P大一年级。"张雪纯的声音也非常腼腆，脸颊微红，仿佛是有些不安。

"P大是好学校，校园非常漂亮。"守守说，然后对纪南方说，"你出去抽支烟好不好？我想单独跟张小姐聊聊。"

纪南方犹豫了两秒钟，又看了张雪纯一眼，她似乎也有点紧张，抬起眼睛来望着他，他于是安慰似的对张雪纯笑了笑："行，我就在外面。"

庭院里有很漂亮的桌椅，桌上的水晶樽里燃着烛，烛光在春天温柔的晚风中摇曳生姿。纪南方坐下来，侍者马上走过来，彬彬有礼地问："纪先生要喝点什么？"

"冰水。"

冰水很快送上来，纪南方没有动，玻璃杯上很快凝上水珠，顺着杯壁缓缓滑落。

桌上浅浅的陶盘里，清水上浮着几朵鲜花，在烛光下显得朦朦胧胧，他觉这情景似曾相识，倒仿佛在哪里见过一般。后来终于想起来，有次跟守守约在这里见面，他走进来的时候，她正巧用手去捞那花瓣。她的手指纤长，很白，拈起一瓣嫣红，嘟起嘴来，朝花瓣嘘地吹了口气。那雪白的手指被花瓣衬着，仿佛正在消融，有种几乎不能触及的美丽。而烛光正好倒映在她眼里，一点点飘摇的火光，仿佛幽暗的宝石，熠然一闪。她的眸子迅速地黯淡下去，仿佛埋在灰里的余烬，适才的明亮不过是隔世璀璨。

那天她原来是为了别的女人来跟他打抱不平，那个女人的名字，他都已经忘记了。只记得那时候她还有点孩子似的稚气，赌气把咖啡全泼在他衣服上。

后来这套衣服送去干洗后，他再也没有穿过。

夜里风很凉，花园里基本没有别的客人，只有他独自坐在那里，等一杯冰水变温。是真的温了，杯壁上沁满水珠，一道道流下去，握着仿佛手心里有汗，他没有喝一口，把杯子又搁下。

很远的地方有一盏灯，温和的橙黄色，仿佛一道隐约的门，门后却什么也没有。他坐在那里很久，看着张雪纯朝他走过来。其实她今天特意打扮过，还换了一双高跟鞋，碎石子小路，张雪纯走得极快，因为不习惯穿高跟鞋，几乎是跌跌撞撞一溜小跑过来，神色更有几分惊惶不安："纪大哥……"

"怎么了？"

"大嫂刚才去了洗手间，我等到现在她还没出来，我以为她已经走了，可是……"

他过了一秒钟才明白她说的大嫂是谁，这一明白过来，立刻起身就往里面走。

洗手间在穿过大厅往左拐，他走得极快，到最后差点撞在人身上。他对那位正往洗手间走去的女士连声的道歉，一脸焦灼："对不起，能不能帮我进去看看，我太太在里面一直没出来，她身体不好。"

大约看他着急的样子，那女人满口答应了，正好张雪纯也追进来，看他站在门口，怔了一下，那女人一走进去，已经惊叫起来："来人啊！快来人啊！"

张雪纯犹未反应过来，纪南方"咚"一声推开门就冲进去了，只见守守倒在洗手台前的地板上。

那女人似乎想扶起守守，而守守毫无知觉，头歪在她怀里。纪南方只觉得血"嗡"地往头上一冲，什么都来不及多想，弯腰抱起守守就往外去。

车子在停车场，就在咖啡馆外的马路边，他第一次觉得如此的遥不可及，一步追一步地往前跑，却仿佛永远也到不了，只听得到自己沉重的呼吸。她的身体并不重，仿佛婴儿一般安静地阖着眼睛，依靠在他胸前。她从来没有如此贴近过他，在这无意识的时候，他只觉得害怕。仿佛不是抱着她，而是抱着一怀沙，有什么东西正从他的指缝间一点一点地漏走。稍纵即逝，他惊慌失措到了极点，张雪纯追上来，似乎说了句什么，但他什么都没听到，只是急切地寻找自己的车，那样亮的银灰色，在路灯下应该很好找，可是为什么找不到？

遥控器就在他的衣袋里，但他腾不出手来拿，他从停泊的无数汽车中穿过去，终于张雪纯再次追上来，他朝她吼："遥控器！"

张雪纯不知所措，仿佛有点吓傻了。而他用一只手托住守守，她连忙上来帮忙托住她的头。他终于摸到了遥控车钥匙，车子"嘀"的一响。循着这声音，他回过头终于发现了自己的车，发动机发出轻微的轰鸣，车内灯火通明。

他抱着她，心急如焚地朝着车子跑去。张雪纯连忙从后头追上来，替他打开车门，他把守守放在后座，她的脸色在车内的灯光下显得惨白惨白，连半分血色都没有。

他心急火燎地一边倒车一边打电话，章医生占线，保健医生的电话一直没人接……他把电话扔在驾驶室前台上，猛然打过方向盘调头，张雪纯刚刚坐下来关上车门，差点被甩下去，幸好抓到了把手。纪南方自顾自换过挡位，加大油门直奔医院而去。

他只用了十几分钟就赶到了医院，下车抱着守守进急诊中心，急诊室的医生护士匆忙迎上来把守守推进去，他被阻隔在门外。整个世界仿佛在一瞬间安静下来，静得能听见自己的心跳，怦怦怦怦，跳得又急又快。他举起手来，手上都是血，是守守的血——是孩子的血……

他终于知道从指缝间一点点漏掉的是什么，不是别的，是血，是他们孩子的血。他有点发怔地看着指端鲜红的痕迹，虽然她说过那样的狠话，虽然她曾那样气过他，他却知道这孩子是他的，不然她不会这样生气。她生气，也不过因为不想要他的孩子，所以才会拿狠话来气他。

准备放弃这个孩子的时候，他是真的以为自己可以，狠得下这样的心，把企盼了很久的希望，包括渺茫永不可及的将来，都扼杀掉。只因为她不要，他最后终于以为自己可以舍得，能够做到。直到这一刻，才明白那种痛不可抑，他根本无法容忍这种失去，比割舍骨肉更难，是割舍唯一的将来，是深透了髓，浸渗在血脉里，要把整颗心整个人都生生割裂开来，做不到。眼睁睁的这样，几乎要令人发狂，他真的没有办法做到。

【二十二】

有医生从他身边匆匆地经过，进入手术室去。又有护士出来，取药取血浆。急诊大夫出来告诉他："病人现在大出血，需要马上手术，孩子估计是保不住了。你是家属？过来签字。"护士已经拿了手术通知单来，纪南方恍惚地接过那份同意书，看着底下触目惊心的一项项备注："麻醉意外"、"术中意外"、

"术后并发症"……

他只能问医生："大人有没有危险？"

"要看手术情况。"医生戴着口罩，说话的声音嗡嗡的，像是在很远的地方，"发现大出血更应该立即到医院来，为什么拖到现在？"

他不知道，他什么都不知道，她什么都不会对他说，即使不舒服，她也从来不在他面前吭一声，何况她本来就不想要这孩子。她拒绝他，于是拒绝他的一切，他什么都不知道，她宁可自己晕倒在洗手间里，也不会告诉他，她不舒服。

医生让他去交押金，不能刷信用卡，于是他给自己的秘书打电话，声音竟然还很清楚："你送两万块钱来，马上。"把医院地址报给他。

秘书有点发蒙，但什么都没问，半个小时内就取了现金赶过来，沉甸甸的牛皮纸袋，他从来没觉得两万块有这么多。秘书去交押金，张雪纯一直很安静的陪在他身边，到了这个时候才怯怯地叫了声："大哥……"

他眼睛发红，仿佛是喝醉了，神智恍惚，只觉得周遭的一切都在摇动，而眼前的人更是模糊不清。他喉头发紧，声音更发涩："你到底跟她说了什么？"

张雪纯吓得几乎要哭了："我什么都没说……真的……她就只问我怎么认得你的，认识有多久了……我就照大哥你教的跟她说了，后来她说要去洗手间，我坐在桌子那里等。等了半天她没回来，我就出去找你……"

他是做了蠢事，这样的蠢事，只因为以为她不会在意。他攥紧了拳头，指甲一直深深地掐入掌心。血脉贲张，就像周身的血都要沸腾起来。他干了这样的蠢事，愚不可及，纵然她并不在意，他也不应该这样刺激她。她本来就对婚姻绝望，他还这样让她难堪。

守守疼出了一身汗，只觉得疼，从来没有经历过这样的疼痛，仿佛有什么东西硬生生从体内被撕扯掉。她徒劳地想要挣扎，想要哭喊，可是使不上力，全身都软绵绵的，没有半分力气，她想，这一定是梦，是场噩梦，醒过来就好了……醒过来就会好了……一直到深夜她才清醒过来，疼痛令她发出含糊不清的声音，身旁有人说："我在这里。"

病房里的灯光很暗，她的意识不是特别清楚，那人似乎是纪南方，她觉得稍稍安心了些。他说："麻药过去了，医生说会有一点疼……"她的手本来搭在小腹上，但突然就明白过来发生了什么事——自己失去了什么，心里顿时难受得要命，她想要动，他抓着了她的手，她含混不清地对他说："别告诉我妈妈……"

"我知道。"

有滚烫的东西落在她手背上。她难受极了，可是哭不出来，体内某个地方似乎被掏空了，让她觉得心里发紧，然后还是疼，连五脏六肺似乎都碎掉般的疼。她把脸侧贴在枕头上，因为这样哭不会被人看见，结婚之前有好长一段时间，她都这样将自己关在房间里偷偷地哭，一直哭到绝望，可是没有人知道。有只手伸过来，拭掉她脸上的泪痕，那只手很温暖，像是小时候父亲的手，但她知道父亲是永远不会像小时候那样疼爱她了，所谓的幸福，她已经失去很久很久了。那只手拭干了她的眼泪，可是却有眼泪又滴落在她脸上，她在心里想，是谁呢，会是谁呢？这温暖如此令人贪恋，这是谁呢？

她留院观察了48小时，纪南方一直守在旁边，后来她坚持要出院，医生本来建议住院一周，但她一直流泪，纪南方也没有办法。出院的时候也是晚上，纪南方抱着她上车，司机在前排，他抱她坐在后排，那48小时里她打了很多很多的药水，点滴挂得她迷迷糊糊，还记得说："别回家去。"

他说："我知道。"

他们回公寓去，他抱着她，他特意带了自己的一件大衣，下车时裹住她大半个身子，从车库到电梯，从电梯进屋子里，再上楼梯到睡房。当他把她轻轻放在床上后，她的脸碰到枕头冰凉的缎子面，竟然又流泪。也不知道为什么，或许是疼的厉害，又冷，她身体一直在发抖。他把被子给她盖好，她抽泣着说："你别走，我害怕。"

他于是坐下来，她像婴儿般一直哭，一直哭，他试探着将她抱住，她没有挣扎，于是他半倚半靠在床头，她躺在他怀里，这姿势并不舒服，以前她也没有这样依靠过他，但她终于觉得温暖。只是忍不住眼泪，一直涌出来，浸湿了他的毛衣。他把脸转开了，说："你别哭了，老人家说这时候哭不好，将来会落下病根的。"

她的眼泪却更快地涌出来，怎么忍也忍不住。本来她恨透了这孩子，恨透了他，可是一失去那个胚胎，她却觉得痛，锥心刺骨的痛，就像是什么最要紧的东西不在了，而且明知道将来是再找不回来。她抓着他的衣服，哭了又哭，一直哭到沉沉睡去。

醒的时候屋子里没有人，偌大的睡房，空荡荡的只有她一个，她觉得害怕极了。挣扎着爬起来，还是疼，她扶着墙，蹒跚地往前走。外头静悄悄的，屋子里仿佛除了她没别人，他终究是把她抛在这里，不管了。

她又惊又慌，攀着楼梯的扶手只想放声大哭，慢慢摸索着下楼梯，一个房间一个房间地找过去。

没有人……一扇门接一扇门地被她推开，都没有人……她越来越觉得心慌，扶着墙喘了口气，却听到走廊尽头有响动。那里她从来没进去过，也不知道是什么地方，她挣扎着扶着墙走过去，门是虚掩着的。她心里又慌又乱，慢慢地把门推开。

原来这里是厨房，装修的很简洁，各样东西却一应俱全，只是料理台上乱七八糟，胡乱放着砧板和菜刀，旁边又搁着一只洗菜篓。水槽里水放得哗哗响，纪南方两只袖子卷起来，低头在水槽里洗什么。一只紫砂煲插着电，正噗噗地冒着热气。他将水槽里的东西都捞起来，守守才知道他原来在洗葱。他动作笨拙，把葱一根根捞起来，放进菜篓中沥干。

守守只觉得嗓子发涩，站在那里，几乎虚弱地倚靠着门，他望着那紫砂煲出神，仿佛是在想什么，又仿佛什么都没想。紫砂煲的热气蒸上来，氤氲散开，隔在两个人中间，她连他的背影都看不清，过了好久才听到他的声音："小火三十分钟后，把葱打结……"原来是在念菜谱，不知道从哪里抄来的，他弓着身子低头细看，一个字一个字喃喃地念出声来。守守只觉得腮边痒痒的，伸手去抹才知道是眼泪，纪南方还在认真地钻研菜谱，根本没有留意别的，她扶着墙慢慢又退回去了。

她花了好长的时间才上完楼梯，疼得又出了一身汗，摸索着进睡房里去躺下，整个人都疼得蜷缩起来。她一直在掉眼泪，也不知道是因为疼，还是因为冷，终于又慢慢地睡着了。

后来是纪南方把她叫醒的，叫她起来喝汤，汤是鸡汤，已经撇去了浮油，而且已经晾得正宜入口。她看着那汤碗发呆，他于是有点不自在："不知道味道怎么样。"

她问："这汤哪来的？"

他很快地说："打电话叫的外卖。"问，"你要不要吃粥？我再打电话叫他们送来。"

她尝了一口，其实汤里虫草放得太多，微微有些苦，她一口一口地喝完，问："还有没有？"

"还有，我去盛。"

他又去盛了一碗汤上来，因为烫，所以站在一旁先轻轻地吹着，她看着他做这样的事情，那样笨拙，只让人觉得心里发紧，仿佛有什么地方生疼生疼。他把汤吹得凉些，然后再给她，她却没有接："我们离婚吧。"

他没有抬头，也没有看她。她又说了一遍："纪南方，我们离婚吧。"

他终于说："你先把汤喝了，以后的事情过几天再说。"

她又开始哭，先是哽咽，然后抽泣，到最后泣不成声，他却站在那里没有动，只是看着她。眼泪流的满脸都是，她说："我从来没有这么讨厌过你！你以为你做这些事有用吗？我不爱你就是不爱你！我恨透了你——你从一开始就算计我，等着看我的笑话。你什么都知道，你还算计我。我要结婚你就答应结婚，你等着这一天是不是？你什么都知道你就等着看我的笑话？明明你也不想要这孩子，你为什么还要做出这副样子？你心里正巴不得——你觉得高兴了？你是不是满意了？"她歇斯底里，"纪南方！你为什么这么狠？我已经这样了你还不放过我，你到底想要怎样？你到底想要怎么样？"

他什么都没有说，把汤放在床头柜上，说："你把汤喝了，休息一会儿。"他转过身往外走，她抓起汤碗向他扔过去，终究手上无力，没有砸到他。"咣啷"一声摔在地上，汤水溅了一地。他停了停，没有回头，很快走掉了。

守守把头埋在枕头里大哭，自己也不知道自己在哭什么，只是声嘶力竭，一直哭到连身体都蜷起来，喉咙哭哑了，眼睛哭肿了，自己也知道是没有了，失去了再也找不回来，只拼尽了全部力气，哭得仿佛整个人都被掏空了一般，他却一直没有回来。

他直到第二天早上才回来，守守整张脸都哭肿了，眼睛都肿得睁不开，知道自己的样子像疯子一样，所以将房门反锁。他在外头敲门，她不肯开，但他没有坚持多久，过了一会儿就走开了。或许已经对她没有了耐心，过了不久章医生带着护士来了，她这才开门。

护士留下来照顾她，纪南方从此没再回来过。但纸包不住火，纪妈妈终于知道这件事，然后是盛开，两边的母亲都立刻赶过来看她，盛开见着她的样子，立刻流下眼泪来："你们这是造的什么孽？你还瞒着妈妈？你们这是造的什么孽？"纪妈妈盘问护士，知道纪南方十余天没回来过，更是勃然大怒："孩子没了，老婆躺在床上动弹不得，他跑到什么地方去了？"

打电话四处找，才算把纪南方找着，回来后当然劈头盖脸大骂一顿。纪南方只是低着头，到最后才当着盛开的面对自己母亲说："妈，是我对不起守守，但我要离婚。您同意，我们要离，您不同意，我们还是要离。"

纪南方的母亲本来就正为守守流产的事情伤心，被他这么斩钉截铁的一顶撞，气得差点昏过去。这下子连纪南方的父亲也瞒不住了，但纪南方铁了心，就是坚决要离婚。盛开素来细心，稍微打听了一下，就得知了出事那天的来龙去脉。见守守整个人都瘦得走了形，憔悴得令她心疼的不得了，只是埋怨："你傻啊，为一个毛丫头把自己弄到这种地步。你收拾不了她，还有妈妈。就算你不乐意跟她一般见识，稍微透点口风，你婆婆也自然会处理妥当。纪南方真是鬼迷心窍，竟然这样胡闹！你更是鬼迷心窍，为什么去见那丫头？医生说你先兆性流产，让你卧床休息，你怎么还能跑出去跟她见面？"

守守只是低头不说话，盛开叹了口气："都怪妈妈，把你给宠坏了。其实这样的事你根本不用自己出面。男人都是这样，偶尔会一时糊涂，干些蠢事。尤其南方这样的条件，好多女孩子主动往上贴，他就算没那心思，也禁不住人家出尽手段缠着他。其实只要他不太出格，你睁只眼闭只眼，他也不敢怎么样。难道他真能跟你离婚，去娶那姓张的丫头？就凭那丫头，这辈子甭想踏进纪家的大门，不说别的，传出去简直是笑话，纪家丢得起这种人？你看看你父亲，再怎么样，那姓桑的女人和她女儿永远见不得光，老远见着人，都得绕开了走。你父亲还觉得亏欠了我，对不起我，处处迁就着我。你真是沉不住气，刚结婚那会儿，我觉得你还拿得住南方，行事也有分寸，所以妈妈很放心，你怎么反而越过越回去了呢？你老实跟妈妈讲，究竟是你要离婚，还是南方要离婚？张雪纯是一回事，易长宁是另一回事，是不是你先跟南方提出的离婚？"

守守只觉得如五雷轰顶，怔怔地看着母亲，过了半晌才说出一句："妈妈……您什么都知道？"

盛开拍了拍她的手："你是我的女儿，你什么事妈妈会不知道？"

"可是……"守守只觉得难以置信，"父亲那样对您，您就无动于衷？"

"这件事已经过去了。"盛开微微一笑，"你父亲既然不打算让我知道这件事，就说明他还对我抱有应有的尊重。我也不会追究这件事，半辈子都过来了，难道我偏要在最后半分面子也不给他？再说姓桑的女人根本无法动摇我们的婚姻，过分重视不够级别的对手，就是轻视自己。守守，妈妈教了你这么多年，你难道连这点还领悟不出来？"

"妈妈……"守守无法思考，亦无法表达，只是语无伦次，"您就这样对待婚姻……对待爱情……"

"爱一个人比别人爱你吃力很多，爱一个人不仅要付出全部，甚至还要牺牲自己。妈妈年轻的时候跟你一样傻，但你外婆教会我一件事情，当你爱一个人远远胜过他爱你时，你就应该考虑放弃。当一个人爱你远远胜过你爱他，你才可能获得幸福。"

"您怎么能这样说，如果爱情这样锱铢必较，那是什么爱情？"她一时口不择言，"妈妈，我一直以为您跟别人不一样……原来您什么都知道，您还眼睁睁看着我去嫁给纪南方……"

"当初是你自己要嫁给南方，妈妈劝过你，你却一意孤行。"盛开似乎觉得自己口气太过激烈，于是缓了口气，"其实南方一直对你挺好，你自己心里明白，对不对？"

"不如说你们算计好了联姻的利益，不如说您觉得我嫁给南方对叶家对盛家都有绝对的好处，不如说您当年就是求之不得！"

"守守！"盛开微愠，"妈妈是那种人吗？妈妈有必要拿你的终身幸福换取什么利益吗？妈妈最希望是你过得好。其实南方是真的喜欢你，妈妈知道，他喜欢你，他会让你幸福，所以才答应你嫁给他。"

【二十三】

"可是我不幸福。妈妈，我不幸福……"守守万念俱灰，只觉得一切原来都是错，一切原来都是枉然，"我觉得最幸福的事，是跟自己爱的人在一起，而不是算计谁爱谁更多……"

她仰起脸来，泪流满面，"妈妈，我爱长宁，一直爱，爱到我没有办法控制自己。我当初跟纪南方结婚，是希望您能觉得幸福。妈妈，我是真的想要您比我过得幸福。我以为您会明白，纪南方不是我要的那个人，他对我好，可是我没有办法跟他一起生活。我跟他在一起没有安全感，我不知道他什么时候会回家，什么时候会变心。他身边诱惑太多，他又管不住自己，我受不了……妈妈……我一直害怕，我怕他跟父亲一样，我没办法像您那样，我做不到。我希望我爱的那个人，也一心一意地爱我，因为我是一心一意的爱他。纪南方他一碰我我就会想，他是不是这样抱着别的女人，他会不会也这样跟她亲热……我就觉得恶心，我就会发抖，我就觉得没有办法。我会不停地想，他昨天晚上在什么地方？他今天晚上又和谁在一起。我控制不了，妈妈。我如果真的爱他，我会发疯的，我宁可……我从来……妈妈，我爱长宁，真的爱易长宁，求求你成全我们。我要是再跟纪南方在一起我真的会疯的，我受不了，妈妈，我受不了……"

她扑在母亲的怀里，拼尽了全力，如孩子般号啕大哭。

她是真的受不了，受不了这一切，她曾经以为自己的牺牲都是值得，可是母亲的怀抱这样温暖，曾经这样温暖。

她像是受尽委屈的孩子，只是用尽了全部力气哭泣，就像是不久之前那一次，可那次她只能独自哭泣，她紧紧抓着母亲的衣襟，就像溺水的孩子，哭得上气不接下气。

盛开揽着她，心疼得直掉眼泪，她紧紧抓着母亲的衣服，拼尽了力气哭着："妈妈……妈妈……妈妈……"

她什么话都说不出来，只是一声声唤着母亲，就像很小很小的时候，只要受了什么委屈，扑到母亲怀里痛哭一场，就觉得一切会好起来。

她哭到连话都说不出来，反反复复只会说："妈妈……我求你了……妈妈……"

盛开微微闭了闭眼睛，成串的眼泪滑落脸颊："你这傻孩子，怎么这么傻？"

"妈妈，我求你了……"她绝望地在母亲怀中挣扎，仿佛窒息的人，呼不到最后一口气。只有母亲有办法，只有母亲可以保护她，迁就她，给她所有的一切："妈妈……你帮帮我……你帮帮我……"

盛开被她一声迭一声，唤得心都碎了，拭着守守脸上的眼泪，哄着她："别哭啊，乖孩子，你还在坐月子呢，别哭，到时候落下病就不好了。妈妈都答应你，妈妈来想办法，好不好？妈妈来帮你，好不好？"

守守只觉得难受，因为明明知道自己要的，连妈妈都没有办法，连妈妈都帮不到她，只有她自己知道，只有她自己明白，她要的永远也要不到。她是没有办法，所以这样哭闹，不依不饶，不罢不休。她焦灼而绝望地攥着母亲的衣襟，哭了又哭，只想，哭累了就好了，哭累了就会睡着了。可是——什么都没有了，她已经什么都没有了。

房间只开了一盏睡灯，幽蓝的一缕光线，只能照见朦胧的影子。纪南方在门口站了一会儿，谁知护士一回头看到他了，走出来低声对他说："才刚睡着了。"

他知道，所以才上来看看。

有好多次，尤其是刚结婚的时候，她睡着了，他会悄悄地注视她。她睡着的样子很好看，像婴儿一般，面容恬美，五官沉静，会让人忍不住偷吻。

但她醒着的时候，永远对他微微皱着眉，对他不耐烦，冲他发脾气，总是将他拒之于千里之外。

他知道缘由，所以越发觉得每一天都像是偷来的，跟她在一起，都像是偷来的，无法亲近，没有将来，没有希望，可他不舍得不要。

结婚一周年的时候，他订了鲜花，订了餐厅，甚至还订了机票和酒店的蜜月套房，打算跟她去土尔其，因为她提过一次想去君士坦丁堡。但打电话给她，她说了句："明天出差。"就敷衍了过去，她甚至不记得第二天是他们的结婚纪念日。

只不过一年，他满腔热情，渐渐被一点点磨灭，渐渐被一点点浇熄。她整个人就像是一块冰，不管他怎么样尝试，不管他怎么样努力，就是没有办法融化半分。从开始到绝望，原来只用一年。

他以为自己还可以坚持更久，但不过就是一年，她就令他明白，这辈子他们都注定无法靠近。

他跟她吵架，总胜过她漠视他，但吵完架更糟，他只能把她越推越远。

那天晚上他跟人吃饭，被灌得酩酊大醉，醒来在陌生的酒店，床上有陌生的女人，他自暴自弃地想，算了吧，就这样吧。

算了吧，就这样吧。

过了一星期她才出差回来，他去机场接她，忐忑不安，几乎不敢碰到她的手，因为觉得亵渎。她是那样干净，她是那样爱干净的人——她见着他照例只是淡淡的，后来两个人去餐厅吃饭，不凑巧遇到他一位旧时女友，那女友见着他们，不由多看了两眼。她却漫不经心，问他："怎么不过去打个招呼？"

她是真的不在意，因为不在意他，所以对这样的事都不在意。

他几乎失控地要发作。两个人沉默地吃完饭，她不肯跟他回家，他明明知道，回家她也不肯让他亲近，但偏生了执念，硬是把她弄回家去。

两个人在门厅里又吵了一架，他最后只能摔门而去。然后开着车在西环路上，兜了一个圈，又兜一个圈。无处可去，最后还是到她宿舍楼下，明知道她并不在那里，她哪怕回来也不会让他进门，她自己的地方，向来不允许他去。她在结婚后买了套公寓，他其实知道地方，但她不肯让他去。他跟傻瓜一样，坐在车里抽了半宿的烟。

知道只会将她越推越远，却没有别的方法。因为他跟别的女人近一点，她反而会对他好一些，因为这样她觉得安全，这样她才放心。他是投在蛛网的那只蛾，无论怎么挣扎，都是千羁万绊，越缚越紧。他从来不知道绝望会这样容易，却实在没有别的办法。

她讨厌他抽烟，所以他把烟戒了，戒了很长一段时间。有天两个人一块儿回家见父母，陪父母散步的时候他握着她的手，揽着她的腰，两个人陪着父母亲说话，在湖边遛弯。后来从垂花门里出来，她忙不迭甩开他的手，皱着眉说："一身烟味！"

那时候他戒烟戒了都快一年了，因为这句话，他又抽上了。跟自己赌气，甚至抽得比以前还要凶。最后还是叶慎宽发觉："你怎么又抽上了？"

他含糊了一声，叶慎宽哈哈笑："这么多年，从我们家老爷子说要戒烟，到我身边这么多人嚷嚷戒烟，我就没见过一个真能戒掉的。你戒了这么久，我还以为你真不抽了。"拍了拍他的肩，"别跟自己过不去了，想抽就抽吧。"

但他就是跟自己过不去，戒不了，忘不掉，他觉得可耻，却毫无办法。

这条路是他自己选的，义无反顾。

结婚之前盛开婉转地说过："守守叫我们给宠坏了，而且她年纪小，脾气又不好，没有吃过什么苦头，思想上很单纯。南方，你对守守这样，我很放心。但我不放心守守，虽然她要跟你结婚，但其实她并不懂得婚姻的意义，你要有耐心，让她慢慢明白。"

那时他和守守刚订下婚期，他懂得盛开的意思，说："妈，您放心吧。"

不过是一个易长宁，很早之前他就听说过。他满不在乎，小女孩闹恋爱，他见得多了，过段时间她就会把那姓易的给忘了。

他却没有想到，她那样固执，不肯忘了他。

很多时候，嫉妒像毒蛇盘踞在他心上，尤其在她拒绝他的时候，他就会觉得更加难受。

易长宁像是一颗种子，在她心里深深扎下了根，然后慢慢地长成毒刺。她用这毒刺刺伤自己，也刺伤他。

不管他如何努力，她永远保持一种抗拒的姿势。从开始到最后，她把他关在外面，中间隔着一个世界，他既看不到，也听不到，更没有希望。

有段日子过得很不堪，身边的女人来了又走，走了又来。除了疲惫，什么感觉都没有。

凌晨时分他独自浸在浴缸里吸烟，看液晶屏幕上的体育新闻，结果突然看到她，不过短短几秒，一晃过去了。后来他就有意无意不看这个频道了。

有一次和叶慎宽两个人都喝高了，叶慎宽说："南方，原来我以为这世上最容易的一件事，就是忘记。后来我总算明白了，原来这世上最难的事，才是忘记。"

这句话撞在他心口，撞得他那里生疼，他却哈哈笑，给叶慎宽的杯子里斟满了酒："你丫又喝高了吧？别在这里伤春悲秋了。世上无难事，只怕有心人，你要成心想忘，明天他妈的就能忘了。你要是成心不想忘，那可得受一辈子罪了。"

叶慎宽是真的喝高了，连说话都口齿不清了："谁说我不是成心，我就是成心！可到最后了，我舍不得……我什么都没了，怎么还能再忘记？"

什么都没了，怎么还能再忘记？

但他是真的，真的下了决心，决心忘记。把有关她的一切，哪怕，再美，再好，也要忘记。

一辈子这样久，他实在没有办法忍受，记得她的痛。

所以，他宁可忘记。

他没有走近床边去，隔得远也看得到她脸上隐约有泪痕，是哭过才睡着的。

他在门口站了一会儿，最后把那份文书放在床头柜上，没有等她醒来。他没有勇气，他甚至怀疑，自己下一秒钟就会后悔。就像那天一样，他一直对自己说，算了吧，就这样吧，可是事到临头，他却后悔了。因为他舍不得，真的舍不得。

他在床前站了一会儿，很想俯身亲一亲她，最后一次，但终究没有动。只怕惊醒了她，更怕自己会后悔，他不知道自己会做出什么事情来。要放手这样难——他好容易下了决心，所以很快就转身走了，走到门口又回头看一看，她的脸大半陷在雪白的枕头里，只能看到隐约的轮廓，再过几年，他只怕连这一眼都会忘了，忘了她是什么样子，有多美，连记忆都吝啬。

守守到中午才醒，她吃的中药有镇定安神的作用，所以睡得很沉。

太阳光正好，洒在床前的地毯上，一刹那她有几分恍惚，仿佛曾做过一个很长很长的梦，却什么都不记得了。

她翻了个身，有些惺忪地拿起床头放着的小钟看时间，钟座底下却压着一张纸。她把那张纸抽出来，原来是离婚协议书，纪南方已经签了名。

有那么几秒钟，她大脑一片空白，仿佛什么都没有想，也仿佛什么都想不了。

她怔怔看着那个签名，很少看到他签名，偶尔会看他签支票，都是龙飞凤舞。但协议书最后的签名很端正，几乎是一笔一画。其实他们孩提时代都曾下工夫临帖，守守自己的底子就很好，到如今她仍可以写一手漂亮的台阁体小楷。

她把协议书放下，给纪南方打电话，他的手机关掉了，然后她又给陈卓尔打电话，陈卓尔人在国外，接到她的电话很意外，问："守守？什么事？"

"没……没事。"她东扯西拉地说了几句闲话，就把电话挂了。

就算找着纪南方她也没有什么话要说，她颓然地把那份离婚协议看了一遍，其实他们也没什么财产分割，联名户头下就一套房子，还有些股票存款，都留给她了。

盛开亲自同司机一起来接她，很难得叶裕恒也在家里。这阵子守守一直不大跟父亲说话，仿佛是赌气。但盛开说："你父亲昨天跟南方谈了一次，同意你们两个离婚。"

她不知道纪南方是怎么说服双方的长辈，但他总有他的办法。守守沉默着不说话，坐在沙发里，好像还很小的时候，她不过三四岁。那时父亲差不多每个月会从广州回来一趟，每次她被保姆带下楼，很规矩地坐在沙发里。陪爸爸说话，起先总是比较拘束，过一会儿玩熟了，她就会趴到爸爸的背上去，让他背着自己在屋子里团团转。

倏忽之间，二十年已经这样过去了。

盛开上楼去换衣服，叶裕恒叫了一声她的乳名，守守有点茫然地看着他，叶裕恒的样子显得很疲倦，他说："昨天南方来跟我说了你们的事情，请我不要责备你。守守，其实爸爸就算偶尔不赞成你的一些想法，但从来没有怪过你。这世上没有想让自己子女不幸福的父母。爸爸不管怎么样，都是想要你过得好。我跟你妈妈商量过了，如果你觉得跟南方在一起不合适，就离了吧。"

她眼眶发热，但是没有哭，仍旧沉默地低着头。

"守守，我知道有些事情，爸爸确实处理得不够妥当。说实话，当年你们结婚的时候，我就很担心，可是你们两个坚持要结婚，南方又向我保证过，会好好待你。我以为他做得到。昨天他来跟我道歉，我说你道歉有什么用呢，你如果要道歉，去跟守守道歉吧。"

叶裕恒很停了一会儿，他显得心力交瘁："你们如今闹成这样，南方从来没在我们面前说过什么，但我看得出来，你对南方的态度有问题。但我也知道，这种事勉强不来的，既然你们两个决定了，我们做父母的，又能有什么别的办法？爸爸不会再阻拦你什么，爸爸只希望你郑重考虑。"

她一直没见着纪南方，后来她打电话给他，他正在做复健，她说："我签字了。"

他有几秒钟没说话，她也没有说话，仿佛在等待什么，听筒里十分安静，她几乎连他呼吸的声音都听不到，最后他说："那我让秘书过来拿吧。"

具体手续是怎么操作的她不知道，几天后他让秘书就把离婚证送来了，她没有打开来看，随手收在首饰盒底下。那天晚上她做了个噩梦，梦到什么都忘记了，只是害怕得要命，惊惶失措地大喊大叫，叫喊着什么她也不知道，然后就醒了。

醒过来枕头还是冰凉的，原来自己在梦里又哭过了。她模模糊糊地想，还好，只是做梦。她重新睡着了，但睡得不踏实，一直迷迷糊糊的，后来又有人低声说话，仿佛是宋阿姨的声音，说："算了……别叫醒她。"她一惊就醒了，心里觉得不踏实，终究起来了。

吃过早餐后宋阿姨才告诉她："早上有人给你打电话，你还在睡觉，我本来想去叫你，但对方已经挂断了。"

"是男的还是女的？"

"是女的。"

【二十四】

她稍微觉得放心了点，但过了一会儿，重新又觉得不安。回到房间后她给江西打了个电话，江西是个爽快人，听她语焉不详，以为又是托自己去打听易长宁的事情，所以说："晚上我跟辰松一块儿吃饭，他有个发小是高检的，到时候我叫他再帮你打听打听。"

守守只得道了谢，又说："对了……那个……我一直没上班，你帮我请假。"

"南方不是帮你请过了吗？"大约是自悔失言，江西很快又说，"你别想太多了，台里领导都知道你最近病了，不会有什么意见的。"

守守犹豫了一会儿，终于问："南方……他怎么样？"

"他父亲不是在住院吗？我昨天去医院，还碰到他了。我看他最近也够呛，人也瘦了。"

守守很意外，半晌改不过口来，最后问："纪伯伯怎么了？"

"就是高血压，住了有好几天了。"

"外面人怎么说？"

"你管外面那些闲言碎语做什么？别胡思乱想。"江西说，"你自己还在床上躺着呢。好好休息，长宁的事你就放心吧，我替你去打听。"

江西办事很有效率，托人帮忙辗转打听。过了两天，又专门来家里看望守守。守守见着她高兴极了，江西带了一束鲜花来，还有自家阿姨做的淮扬细点，打开纸盒只觉得甜香四溢。守守顿时"呀"了一声，说："核桃酪！"

江西笑着说："馋了吧？我估计你吃药，正馋着呢。"

"天天喝中药，苦得要命。还不许吃这个，不许吃那个，要忌嘴。"

江西叹了口气："你也是太大意了。"

守守不语，江西很快就转移了话题："我还带了千层糕来，我们家阿姨蒸的千层糕可好吃了。"

入口即化，鲜香软糯，两个人吃着点心，像回到了学生时代，躲在阁楼里吃下午茶，相亲相爱，无话不谈。

江西告诉守守："你别着急，长宁运气不错。"

守守问："怎么？"

"好像有人在捞他。"江西说，"因为听说证据不足，目前形势正朝着好的方向转变。我估计可能有人不想这案子继续扩大，所以在控制局面，听说这个案子还牵涉到另外好几家公司。人家也是私底下跟我透露的，说不定这中间有什么神通广大的人，或者长宁自己有什么亲戚朋友在想办法帮忙。要是这样的话，长宁很快可以脱身。"

守守出了一会儿神，又问："纪南方的父亲，身体怎么样了？"

江西却答非所问："你跟南方真的离婚了？"

守守"嗯"了一声，江西说："怪不得，南方到医院去，纪伯父都不肯见他，听说是气坏了。外面都传说纪南方为了一个P大的女学生，跟你彻底翻脸离婚。传得有鼻子有眼的，我还不大相信，因为南方他对你实在是……"她停了一下，赶紧笑笑，"不说这个了，各人有各人的缘法，强求不来。"

初夏的时候守守才回去上班。

刚下过一场小雨，满城的绿色仿佛都要滴下水来。行道树是洋槐，开着大捧大捧雪白芬芳的白花，像无数白鸽子停栖在绿叶下。守守见过了几位新同事，又拿到最新的栏目计划，就没有其他别的事了。江西听说她回来了，抽空过来她的办公室，跟她说话："你怎么瘦了？"

"妆化得不好吧。"守守摸了摸脸。

其实是睡眠不好，她最近一直失眠，吃什么药都没有效，要么睡不着，睡着了又总是做噩梦。很多时候哭着醒来，醒来就忘了做了什么梦，但只记得哭。有时候早上起来眼睛就是肿的，盛开非常着急，劝她去国外度假，但她不肯，于是盛开又劝她来上班。

"你头发也要打理了。"

不长不短确实很尴尬，发尾扫在脖子里觉得痒痒的，守守说："正打算留长，过阵子再去修剪。"

江西说："要不我们一块儿休年假吧，去英国。"又说，"你别以为我是陪你，我是早就想休假了，找不到借口，正好趁这机会一块儿。"

守守非常感激，知道江西其实是担心她。她说："还是不要了，我懒得动。"

"出去走走吧，我们回去看看母校。"

守守拗不过她："辰松一定会在心里骂我，把你拐跑了。"

"他忙着呢，我们一周见不到一面，我去趟英国再回来，他也不见得知道。"

两个人一起去英国，仿佛回到学生时代，那时候圣诞节、复活节和暑假，她们两个总会一起出门旅行，乘"协和"号航班飞越英吉利海峡，从伦敦到巴黎，然后持Eurailpass搭乘火车横跨欧洲大陆。或者一路向西，飞越高山与大洋，换过一个又一个时区。旅程的新鲜与劳累，总令人兴奋又疲惫。

毕业后守守再没来回来过，或许是厌倦，寄宿学校那样单调的生活，再加上英国永远湿淋淋的天气。当年讨厌得不得了，只想早点摆脱。而如今一出机场，就觉得感慨，不由对着江西唏嘘："连协和号都停飞了。"

江西说："物换星移。"

是物是人非吧，少年时代的心境已经永远一去不复返了。那时候意气风发，以为自己将来一定会遇上最好的那个人，携手同心，永不分离。不过短短数载，已经面目全非。

江西说："你就是想得太多，你将来的好日子还在后头呢。"

伦敦仿佛永远在下雨，湿漉漉的城市，铅云沉沉的天空，过不了一会儿，雨渐渐下得缠绵起来。点点飞过车窗外，落地无声。

计程车慢吞吞地驶过大街小巷，仿佛行进在无边无际的雨帘中。一幢幢建筑在蒙蒙细雨中闪烁着晕黄的灯光，更显得历史悠远漫长。

本来在伦敦有不少亲友，但她们两个都是不爱麻烦的人，于是住了一个酒店套间，正好两间睡房，还有会客厅与餐厅。

守守倒时差，终于睡足了十四个小时，还是江西进来把她叫醒的："你怎么这么多年一点长进没有，还这样能睡啊？"

守守留恋这难得的睡眠，哼哼唧唧不肯起来："我再睡一会儿。"

"快点起来吃饭。"

同江西一起去街头小店吃炸鱼薯条，越发像是回到学生时代，守守难得的好胃口，把整份炸鱼连同薯条都吃完了。

雨早已经停了，街道上还是湿漉漉的。街旁的橱窗里有漂亮的帽子和大衣，和江西手挽着手停下来看，像是十几岁的时候，难得放假，从学校出来，一起进城逛街。

江西问："明天要不要回学校去看看？"

学校离伦敦还有一个多钟头的车程，守守想想就懒："算了，就在这里悼念一下青春吧。"

话说得似乎有点伤感，其实两个人的伦敦，不是不慵懒。

天气好时跟游客一起去看皇宫换岗，到国家画廊看《向日葵》，或者去剧院看芭蕾舞剧。天气不好就留在房间看电视，叫送餐服务。

天天这样吃喝玩乐，不过两周，守守的脸都长圆了，照着镜子对江西哀叹："我在英国竟然能长胖，真是太神奇了。"因为十几岁时永远觉得英国菜吃不惯，所以一直瘦一直瘦，没想到此番重来，大吃特吃，竟然连圆圆的婴儿肥都回到了脸上。

江西说："谁叫你天天吃那么多甜食的。"

守守嚷着要减肥，于是拖着江西一起去爬圣保罗教堂。

虽然一路停停歇歇，爬到耳语廊后守守已经觉得精疲力竭，只觉得又热又渴，所以停下来休息。江西却在感慨另一件事："当年黛安娜在这里嫁给查尔斯，他明明不爱她，她也知道，却还是勇敢地嫁了。想想看，未尝不是孤勇。这世上，哪有比跟一个明知不爱自己的人结婚更勇敢的事？"

求不得，爱别离，人生种种，都若如是。

有人为了爱赴汤蹈火，有人为了爱一往无回，有人明知那是绝路还是坚持走到了底。

守守没有做声，江西转过脸来，对她微笑："其实我是很懦弱的人，遇上不爱，就选择离开。但有些人，遇上不爱，却选择继续爱下去。我做不到，只得钦佩。"

守守看着她，心里百味陈杂。和孟和平分手后，江西也消沉了一段时光。但她和顾辰松的开始，却又那样坦然和甜蜜。守守一直想，爱情有没有机会，换个对象，却可以重来一次。

那天晚上守守破天荒地又失眠。本来她来英国后睡眠一直不错，但这天晚上翻来覆去，一直睡不着，后来好容易睡着了，却又做了噩梦，半醒半梦之间一直哭一直哭，想要叫喊什么，嗓子眼里却堵着，什么也叫不出来。她哭得上气不接下气，直到有人把她轻轻推醒，她整个人还在惊悸着抽泣。

江西穿着睡衣，打开床头灯，见她脸色煞白，于是去给她倒了一杯水，又轻轻拍着她的胳膊。

守守用手捂着脸，好一会儿才平静下来，江西仿佛想要说什么，但最后想了想还是忍住了，安慰她："没事，是做梦。"

　　守守捧着水杯，觉得惊魂稍定，有些内疚地说："把你吵醒了。"

　　"没关系。"江西小心翼翼地说，"我觉得你精神不好，要不明天去看看医生？"

　　守守觉得疲倦："我想要回家。"

　　"那我们明天就回家。"

　　她们搭乘最快的航班回家去，十来个钟头的飞行，守守一直睡不着，精神又紧张，只得不停地吃巧克力。吃到最后晕机，吐了又吐，几乎连苦胆都快吐出来了。空姐替她倒水，拿毯子给她，最后临近蒙古国上空她才勉强睡了一会儿，等醒过来时飞机已经快要降落了。

　　江西觉得她脸色异常苍白，于是说："你以前从来不晕机的，今天怎么吐成这样？"

　　守守出了一身汗，有气无力："我也不知道……"话音未落飞机又遇上气流，微一颠簸又觉得胃里如翻江倒海，对着纸袋只是干呕，恨不得连眼泪都快流出来了。

　　好容易熬到降落，江西见她的样子实在憔悴，当机立断带着她走了VIP通道。本来她们临时决定回来，上飞机前江西给顾辰松打了电话，让他来接。出了通道就是停车场，天下着小雨，江西打电话给顾辰松，守守站在行李旁，江西讲电话："我们在VIP出口这边……"话音未落，突然看到守守正快步向停车场出口那边走去，她步子极快，仿佛一只小鹿，径直就从车辆间穿过去，步子又疾又快，仿佛在追赶什么。江西被吓了一跳，气吁吁地追上来："怎么了？"

　　守守却突然又站住了，有点发怔地回过头来，江西更觉得惊讶："守守，怎么了？"

守守似乎摇了一下头，才说："没事。"

细雨把她的额发濡湿了一点点，看着有点稚气，像是小孩子。但她站在那里，神色茫然，更像是小孩子丢了糖果，又或是被老师遗忘了。

江西觉得很担心，幸好没一会儿顾辰松就从另一个停车场过来，替她们提了行李。顾辰松很大方地搂一搂江西，又问守守："玩得怎么样？看你们俩都长胖了。"

江西笑着说："成天吃喝玩乐，能不胖吗？"

车上顾辰松和江西有一搭没一搭地说着话，本来顾辰松很有风度地坐了副驾驶位，突然回过头来对守守说："守守，易先生的事情解决了，由于证据不足，已经取消出境限制。他约我见过一次面，说是谢谢我。我说不用客气了，江西和你像亲姐妹似的，再说我也没帮上什么忙。他说没打通你电话，我说你跟江西到英国去了。"

去英国时，她把手机放在了家里，也许潜意识里是想逃离什么，把自己放逐于世界的那端。而如今，紧绷已久的弦终于松弛下来，易长宁并没有事。

初夏的城市正是四季中最美好的季节，郁郁葱葱，清翠满城。守守将头靠在车窗上，机场高速路旁都是柳树，杨柳依依，雨细细绵绵地下着，像是一张银丝巨网，将天地间的一切尽笼其中。

纪南方在最近的出口下了交流道，然后把车滑进紧急停车带，掏出烟来点上一支。

点燃烟的时候，他才感觉到自己的手指在微微发抖。

也许只是看错了，当他上车后，无意中往后视镜里瞥了一眼，突然看到一个熟悉的人影正朝自己的车子快步走过来。

是真的很像，但他拿不准，于是本能地踏下油门，几乎狼狈地加速驶出停车场。后视镜里的人影在几秒钟内迅速变成一个小黑点，遥远模糊，最终消失。

　　其实应该不是她，因为她不会独自出现在那种地方，何况没有这么巧。

　　他把天窗打开，气流盘旋着吹进来，带着清凉的雨丝。简直如同撞了邪，连看到有一点像的影子，都以为是她。

　　左侧的车道上车流密集，呼啸而过，如同隐隐的雷声。嘴里有些发苦，于是他随手把烟掐掉了，打开CD。这车他不常开，音响并没有改装过，是整车的原配，效果倒还不坏。CD是一张英文专辑，他没注意在唱什么，只是需要车内有点声音。

　　红灯的路口，右侧车道上正巧停了部黑色的单门跑车。虽然车子看起来并不张扬，但车牌很好，江西觉得这车牌倒像在哪儿见过，仿佛是哪个熟人的车，但怎么也想不起来是谁的车。正巧信号灯换了，跑车加速极快，超车又非常灵敏，不过一眨眼工夫就已经挟裹在滚滚车流中，消失不见。车内很安静，而守守闭着眼睛，歪靠在椅背上，已经快要睡着了。

　　上了高架速度就慢了下来，CD里的旋律已经换了一首，高亢的女声正唱到："When you're gone……The pieces of my heart are missing you……"

　　纪南方于是把CD又关了，天窗仍旧没有关，有呼呼的风声，仿佛就刮在脸上。

　　他和张雪纯约在餐厅见面，已经是黄昏时分，路灯还没有开，餐厅有巨大的落地窗，对着车流熙熙攘攘的街，他比约定的时间到的迟了，张雪纯正托腮望着窗外发呆。让他想起第一次见到她的样子。餐厅华丽的灯光映着她脂粉不施的一张脸，显得很干净。

见他来了，她显得挺高兴，叫了他一声："大哥"。

服务生上来点单，他随便点了几样，然后对她说："刚去机场送人，路上堵车，来迟了。"

张雪纯微笑，她笑起来眼睛弯弯的，像月牙儿："今天是周末，我也是怕堵车，所以坐地铁过来的。"

他把那个文件袋交给她："护照、签证、学校的录取通知、经济担保人证明、机票……全在里面，你自己收好。"

张雪纯接过文件袋，并没有打开看，只是默默地把袋子掉过来，又掉过去，摸索着光滑的牛皮纸面。幸好菜很快上来了，纪南方说："吃吧，吃完了我送你回去。"

两个人都没什么胃口，这餐饭吃得草草。窗外的街景却渐渐暗下来，到最后骤然一亮，原来是路灯开了。其实很漂亮，一盏盏如明珠连缀，车如流水马如龙，这城市最绮丽的时刻，繁华得如同琼楼玉宇，人间天上。

【二十五】

张雪纯看着纪南方，他正巧转过脸去看窗外，很俊挺的侧面，路灯与餐厅的台灯，明暗交错，显得面部轮廓很深。其实他不是漂亮的那一类男子，但自有一种丰神俊朗。她一时有点发呆，纪南方忽然转过脸来，倒把她吓了一跳。

他说："我父母为离婚的事，正在气头上，只差没想剥了我的皮。你这黑锅背得太大了，我得安排你出去避一避。你哥的手，反正也好得差不多了，你现在走也可以放心。将来读完书，就留在美国，好好找个人嫁掉。女孩子总要嫁个好人，才会过得幸福。"

张雪纯看着他，乌黑明亮的大眼睛，黑白分明，清澈到近乎清冽："大哥……"

"行了别废话了，吃饭。"

"你将来打算怎么办？"

"哟！你还真替我担心上了？将来再结婚呗，咱俩凑和一下就挺不错的，到时候我去美国找你啊，咱们上阿拉斯加注册，准能把老头给气死。"

她亮晶晶的眼睛里有眼泪，看着他，于是他终于不再说笑，掏出烟来，却没有抽，只是在桌子上顿了顿，又顿了顿："我知道你是什么意思，但已经到了这步，就这样吧。"

"你将来要怎么办？那天晚上我看着你抱着她去医院的时候，我就在心里想过，你真是会骗人……你从前说的那些话，本来我都相信，可是就从那天，我觉得不能信了。你根本就做不到，你把我给骗了，你把你自己也给骗了，你离了她根本就不行，你为什么还要离开她？"

"这事已经过去了。这世上谁没离过一次婚？你替我操什么心？"

"你为什么不跟她说？你那么爱她为什么不跟她说？你还叫我去骗她，你没看到当时她的脸色——"

"张雪纯！"

两个人僵在那里，她胡乱拭了拭眼泪。

"我知道你想成全我，我也只是想成全她。"纪南方终于点上烟，袅袅的轻烟散开在两人中间，他的语气也和缓下来，"把你拖进这种事里来，总是我不仗义。所以你赶紧走吧，学校那边我都替你安排好了，国外也有可靠的朋友，他们会帮忙照应。

你好好读书，真出息了，到时你把你家里人都接过去，孝顺孝顺你父母，还有你哥。"

"你救过我哥哥，救过我……"

他语气重新轻佻起来："我那是心血来潮，什么年头了你还打算以身相许啊？你要真觉得过意不去，行，今晚上我们就去开个房，把这账给了了。这下你觉得不欠我了吧，觉得可以安心走了吧？"

张雪纯终于还是哭了："大哥你怎么这么傻啊？你跟她离婚，你要后悔一辈子的……"

"你这丫头不也傻吗？明知道我不喜欢你，你还天天到医院来。就那十万块钱，你还做家教，一点点攒了想要还给我。你明知道我不会喜欢你，我离婚了你比我还急，你不傻吗？"他反倒笑了笑，"这世上，一个人总是另一个人的傻瓜。"

守守想过很多遍与易长宁的见面，奇怪的是，她从来没有梦见过他。

这次真的重新见到他，却有一种做梦般的感觉。从英国回来，她一直觉得恍惚，仿佛整个世界都是虚幻而不真实的，人和事，物与非，恍若隔世。

两个人并没有说什么话，桌子上有一点淡淡的阳光，她穿着件七分袖的上装，手肘搁在阳光里，有一点轻暖。咖啡厅里已经开了冷气，易长宁握住了她的手，他的手还是那样，指端带着些微的凉意，他说："跟我走吧。"

她只觉得辛苦，太辛苦了，费尽周折到了今天，连喜悦都已经消磨殆尽，只余了疲惫。

她很轻易就答应他。

她回家与父母商谈，盛开婉转地表示反对："守守，你明知道我们不宜与桑家有过多的纠葛。"

守守不欲争辩，只是说："妈妈，请你原谅我。"

她最近失眠严重，瘦到整个人都走形，偶尔靠着药物入睡，总是在噩梦中醒来。似乎连眼泪都已经哭干了，大而空洞的眼睛，怔怔看着母亲，几乎连半分昔日的神采都没有。盛开实在不忍心，伸出双臂将她揽入怀中："孩子，妈妈可以什么都不要，只要你幸福，你过得幸福，妈妈才会觉得幸福。"

守守不敢答话，怕稍一动弹，眼泪都要溢出来。

她一直这样懦弱，到了今天，还是这样，没有办法面对，只好走掉。不管幸福在哪里，在什么地方，她曾经那样固执地追求过，却没有把握。

守守本来以为父亲会坚决反对，但叶裕恒只是说："明天没事，陪爸爸去爬山吧。"

那天他们去得很早，山下树木葱葱郁郁，上山的路更显幽静，只偶尔看得到早起锻炼的老人。

山间空气清新，守守很长时间没有这样走路，到了山腰的凉亭，已经是微微喘息，出了一身细汗。

叶裕恒也觉得累了，于是停下来休息。看守守一张脸红扑扑的，额头上全是汗，微笑道："你看看你，还不如我这老胳膊老腿的。"

这是父亲第一次在她面前提到"老"字，语气很轻松，太阳正在升起，树木枝叶上的露水还没有干，他伸手摘了片，仔细而耐心地卷成一个小卷。守守不由得想起小时候他经常这样教自己吹叶笛。

叶子含到嘴里，还带着植物一点青涩的苦意，声音很小，吹的是《红星闪闪》。忽高忽低，父女两个鼓着腮帮子吹，到最后完全不成调子，守守先忍不住，"噗"地笑了。叶裕恒也笑了，把嘴里的叶子拿出来，说："好多年没吹过了。"

凉亭地势很高，视野开阔，远望整个城市几乎都尽收眼底，一轮朝阳正缓缓升起。

守守不由得对着晨曦张开了双臂，有风浩浩地吹来，拂过她的发，吹在她的脸上，仿佛她只要一合手，就可以拥抱住那温暖而灿烂的光圈。她整个人就像融在那片明亮的霞光里，融在那朝阳里，把一切都化为光，化为风。

"你四岁的时候，第一次带你来爬山。"

她还记得，那时候爷爷偶尔来山里，住在山脚下的房子里，有时候她跟父母还有伯父堂兄们一起，陪着爷爷爬山。

"你当时太小，后来实在走不动了，总是我把你背上去。"

那时候，父亲还是那样年轻。背着她，陪着爷爷，一路说说笑笑，不知不觉就走到了山顶。

"一晃二十年就过去了，你都这么大了，爸爸老了。"

守守觉得别扭："爸爸，别把'老'字总挂在嘴边上。"

"老了就是老了，说说有什么打紧。"明媚的霞光映在父亲的脸上，他微微眯起眼睛，"守守，爸爸没办法次次陪你爬到山顶，以后的路，你总得自己走。走错了也不要紧，其实每条路，都是通向山顶的。

"爸爸走过弯路，所以爸爸从前总是想，让你规规矩矩顺着大道走，这样对你好，不会走错。现在爸爸想想，顺着大道走，固然省时省力，可是其他小路，也许能看到更美更好的风景也不一定。"

"爸爸……"

"易长宁我见过两次，是个很能干的年轻人，如果你坚持要嫁给他，爸爸不会反对。你自己选了这条路，不管沿路是什么，都是你自己的风景。爸爸希望你过得好，过得开心。这几年你跟南方在一起，是什么样子我都看到，爸爸知道你勉强，知道你不快乐。你是爸爸的小公主，不管你做什么，怎么样选择，爸爸都觉得高兴。"

"爸爸……"

"你们出国去也好，在外面生活会更单纯些，只要时常回来，陪陪爸爸妈妈，爸爸就觉得很高兴了。"停了一会儿，他说，"过去有些事情，守守，请你原谅爸爸。"

守守哽咽着，有点狼狈地转开脸去，怕自己哭。

叶裕恒拍了拍她的手："我女儿最漂亮，不过哭过就不好看了，可不能哭。"

守守嘴角上弯，终究还是掉了眼泪。

和易长宁并没有举行任何订婚仪式，他们决定还是去国外注册，于是一连好多天，都忙着收拾行李之类的琐事。

盛开亲自带着宋阿姨给守守收拾东西，守守自己倒闲了下来，经常坐在一旁，默默看着母亲与宋阿姨絮絮地讨论，带什么，不带什么……

出发的日期一天天临近，守守的失眠也愈发的厉害，偶尔能睡着，也总是哭到醒。每次醒来，枕头都是冰凉的，让眼泪浸透了。她哭了又哭，在梦里，总找不到要找的那样东西。

每当这个时候，她就绝望般醒来，在啜泣中睁开眼睛，安静的早晨，密闭四合的房间，只有她一个人。

她想，也许是易长宁，太久的等待，让她没有了安全感，让她已经绝望。所以唯有他，也只有他，可以帮她找回来，整个世界。

离别总是伤感的，江西和顾辰松送她到机场，一堆亲戚朋友，更显得离开是那样的难，那样的舍不得。守守对顾辰松说："照顾好西子。"

江西也微笑，拍着她的背："照顾好自己。"

明明只是出国去，不知道为什么，守守却觉得难过，可是哭不出来，江西拥抱她，在她耳边说："不快乐就回来。"顿了顿，又说，"但你还是要永远快乐，这样即使你不回来，我也会去看你。"

她红着眼圈点头。

到了登机的时候，她最后一次拥抱父母，盛开和叶裕恒都伸出一只手来，紧紧地抱住她。

再怎么样，也到了离开的时候。

机舱门口有空乘甜美的笑容，找到座位，坐下，空姐帮忙放置简单的手提行李。庞大的空中客车，满载着乘客，舱门关闭，飞机开始慢慢滑行，空乘开始自我介绍，进行安全示范。易长宁替她扣上安全带，问她："累不累？"

漫长的飞行还没有开始，她已经觉得累了，乏到了骨子里，但却摇了摇头。

小的时候她曾经非常喜欢，和爷爷奶奶一起，还有父母或者其他家人，搭乘飞机去其他地方。长大之后，也和朋友一起，飞过许多地方。但是起飞的瞬间，当机身摆脱重力的瞬间，她还是觉得有一种潮水般涌来的孤寂与无助，仿佛这一刹那，被整个时空所隔离。发动机发出低沉声音，飞机转弯调整着航向，所有陌生的、熟悉的、一切一切都统统涌上来，淹没着她，让她鼻尖发酸，让她喉间发涩，让她下意识地紧紧抓住了座位的扶手。

易长宁一直很温柔的注视着她，直到飞行平稳，大家解开安全带。过道渐渐有人走动，守守也觉得自己太过于紧张，朝易长宁笑了笑。

"要不要喝水？"

她只是摇摇头。

他似乎犹豫了几秒钟，但很快地说："守守，如果你后悔，还来得及。"

她诧异地看着他。

而他语气平静："一直以来，我一直觉得，我是这世上唯一能给你幸福的人。所以我尽了最大的努力，想要带走你。不管任何人任何事阻拦，我都希望和你在一起。

"三年是不短的一段时光，但重新见到你的时候，我就知道，这三年不是我一个人熬过来的，你受的苦，你过的日子，不会比我好。从前我觉得你是小孩子，让人疼，让人爱。所以三年前我走开，以为是对你最好的方式。后来在长城上，我见到你的时候，我才知道，我做了怎么样愚蠢的决定。我再也不会放弃，我不可以把你独自留在那里。做这个决定之后，我考虑过很多事情，我考虑过很多人，我知道有些人和事会出现在我们当中，我们可能面对父母亲人家族等等一系列的问题，但不管出现什么样的情况，我绝不会再放开你。

"因为我一直认为，这世上不会再有人，爱你会胜过我爱你。

"我不知道如今你是怎么想，因为这阵子我们在一起的时候，你一直很沉默。我想你应该不知道，在你们离婚之前，纪南方和我见过一次面。我一直以为他会威胁我，或者会用其他的手段给我施压。结果他只对我说了一句话，你知道他对我说了什么？他说，这三年来，守守一直在等你，她不容易，请你以后好好对她。

"我一直觉得，我会让你最幸福，因为这世上，我最爱你。但他说完这句话的时候，我就明白，这世上，也许我并不是最爱你的那个人，起码，我不会是唯一的一个。

"前两天我一直想问你，你是不是真的下定决心，跟我去美国。但是我很害怕你给出答案，我自认为不是个怯懦的人，而且人之所以怯懦，是因为明知道不会赢。我考虑过家族的压力，亲人的压力，当我在接受调查，被限制出境的时候，其实是我最冷静的时候。我一直想，这没什么大不了，是我意料之中的事情。没有任何人，没有任何事，可以拆散我们。因为我知道，你会信任我，等着我。所以我自信坦然，即使是牢狱之灾，也不能分开我们。我把我们可能面临的问题都考虑过一遍，我把所有阻止我们的可能都猜测了一遍，我觉得我准备好了所有对策，我觉得我胸有成竹。我唯独没有想过，如果你，如果你爱上别人，那该怎么办？

"你坚持了三年，我从来没有怀疑过。但也许只是一秒钟，你就已经变了。以前你看着我的时候，我在你的眼睛里，只能看到我自己。现在我看着你的时候，我看到更多的是彷徨和犹豫，我甚至觉得你是在逼迫你自己。起码，你自己已经不知道了，你到底是爱我，还是爱纪南方。"

她看着他，只是看着他："长宁……"

他竖起食指在唇边："听我说完。

"当初我选择离开你，是我这一生所做的最愚蠢的决定。我寄希望于后来，我甚至觉得，我们还有机会，重新开始。尤其是在三年后，见到你的时候。但有很多事情，不是一厢情愿的。我当初一厢情愿地以为，我离开是对你我最好的安排，结果给你造成那样的痛苦。后来我又一厢情愿的以为，我们可以重新再来，但却把你陷入进退两难的境地。现在你一厢情愿的觉得，跟我去美国是最好的选择，守守，你有没有真的问过自己，你有没有在刚刚醒来的一刹那，问过自己。这是你想要的吗？你真的决定了吗？

　　"如果你没有一丝犹豫，如果你没有一丝彷徨，今天我会非常高兴地握着你的手，在飞机降落后，马上直奔教堂去结婚。但我现在不敢这样肯定了，你第一次让我觉得怯懦。这么多年来，在工作中，在生意场上，在生活中，我都觉得怯懦是可耻的，当一个人开始怯懦的时候，他基本上已经输定了。

　　"我们还有十几个小时的飞行时间，在这十几个小时里，我希望你好好想一想，然后再做决定。

　　"因为我爱你，所以我希望你做出最正确的、最顺从你自己心的决定。不管你怎么样选择，我都会觉得高兴。因为不管你怎么样选择，我爱你，我希望你比我过得幸福。你要知道，在这个世界上，不是唯有纪南方可以做到，我爱你。"

　　守守看着他，他的眼睛明亮，就像天上最亮的星光，浮着碎的影，与她的脸，也许她又哭了，也许并没有。他说了这么多话，与他平常说话的样子没什么两样，但她知道，这一切，于他，于她，是如何艰难而又困惑。

　　他曾经那样爱过她，她曾经那样爱过他，他们一直以为，对方是今生今世，唯一与自己契和的那一半，不可离弃，不可抗拒，历经千辛万苦，终究会在一起。

　　而如今，而如今，她看着他的眼睛，那样秀气浓密的长睫毛，像是湖边丛生的杉林，含着微澜的迷茫水汽。

　　没有人知道，她自己也不知道，这一切是如何发生的，是怎么样发生的。

他也许说的对，他也许说的不对，因为她的心是乱的，所以她没办法反驳。一辈子这样久，将来也许是段很漫长的时光，他要跟她在一起，所以他需要她知道，她到底是怎么样的决定。

"如果你真的考虑好了，下了飞机之后，我们就立刻去注册。如果你有别的决定，下了飞机之后，你搭最快的航班回来。"

她只觉得哽咽："我不知道。"

"你一定要知道。"他鼓励似的笑了笑，"守守，这是没有办法的事情，你一定要知道。"

她真的不知道，不知道要怎么办才好。

她啜泣的样子令他觉得心疼，他揽住她的肩，亲吻她的额头，动作轻柔。

"我爱你。"

比我幸福

"守守今天走了。"

等了一会儿，没听到电话那端有回音，叶慎宽又说："我本来还指望你追到机场去呢。以前我觉得我够傻了，现在有你垫底了。"

纪南方沉默了一会儿，笑起来："是吗？我还是觉得你比我傻。"

叶慎宽也笑起来，但只笑了一声，就说："日子总得过，南方，忘了吧。"

挂掉电话后，纪南方只觉得叶慎宽真的比自己还傻，因为之前他明明说过："原来我以为这世上最容易的一件事，就是忘记。后来我总算明白了，原来这世上最难的事，才是忘记。"

他自己都做不到，为什么以为他就做得到？

纪南方没有回家去，而是回了公寓。其实自从守守走后，他一直没回来过这里，仿佛有点害怕，总觉得她就在这里，自己还会看到她。其实屋子里空荡荡，一如既往的一尘不染，花瓶里插着新换的鲜花，良好的公寓管理令一切似乎永远整洁干净。他站在门厅里看了看，仿佛松了口气，没有任何痕迹，他想将来要是不行的话，就把整堂的家具换掉，或者重新装修。但此刻只觉得疲倦。

他泡了一个澡，结果因为太累，水温又舒适，终于在浴缸里睡着了。醒来的时候水已经冰冷，冻得他直发抖，起来重新冲了个热水澡，把头发吹干，才回睡房去。

他犹豫了一会儿，终于在床上坐下来。动作很小心，仿佛怕惊动什么。

在那短短的几天里，他曾经在每一个夜晚坐在这里，小心翼翼，怕她会哭着醒来。

她哭的时候很多，让人心疼，整宿整宿他一直想，这样自私地留住她，不如放手，让她快乐。

床虽然大，但不是很软，守守说过不喜欢这床——她说过的每一句话，他竟然都记得。站起来，走到窗前去，窗外就是阴沉沉的苍穹，雨还沙沙地下着，但隔着双层加厚的玻璃，听不到雨声。

抽完了烟，更加觉得无所事事，重新躺回床上去，枕头上却有若有若无的香气，是洗涤剂的味道。他强迫自己睡着，但只睡了一小会儿，就醒了。

他爬起来，决定出去吃晚饭，于是打开衣帽间，心不在焉地找衣服。有些衣服刚从洗衣店送回来，私人管家打理得极好，分门别类早已经挂好。成打成打的衬衣、西服、长短大衣、T恤、礼服……一扇扇门打开来，都不是。

抽屉拉开，全是挂得整整齐齐的西裤与领带。小抽屉里则是一格格的袖扣与领带夹、会员徽章，看上去五花八门，就是没有他要找的东西。

打开最后一扇柜门，这一格全挂着睡衣。底下的抽屉卡住了，他很用了一点力气才拉开，原来在这里。那套格子小熊睡衣，很粉嫩的浅蓝色，领子里面绣着三个小小字母："YSS"。这还是她在寄宿学校时养成的习惯，所有的衣物，包括内衣，总会要求绣上自己名字的英文字母缩写，所以后来她的衣服上，都绣着这三个字母。她在这儿住了那几天，什么都没有留下，就只这套睡衣当时送去洗了，等洗衣店送回来，她已经走了。

他看着这套睡衣，拿起来，睡衣底下还放着条丝巾。黑底子白色的图案，非常漂亮，这么多年，一点颜色也没有褪。因为真丝非常不好染，所以当时他查了很多资料，也试过很多办法。最后打电话请教自己念硕士时的导师，老教授给他出了不少主意，最后染出来效果非常漂亮，如同印色一样。他不愿意拿去工厂制版，所以自己动手。

他还记得，跟守守订婚后正是初春，窗外桃花刚刚开了，一树轻红。他坐在窗前绘样，一个心，再一个心，无数颗心形。画得不好，推翻了重来，再重来……这么多年他从来没有这样专心过，心里只是在想，如果送给她，她一定会明白……

他在抽屉前面弓着身子太久，膝盖渐渐发酸，站不住。腿骨上的裂缝，就像心上的那道伤，这么久，一直到了这么久，还疼。

过了一会儿，找了个纸袋，把衣服和丝巾都胡乱塞进去，然后拎着纸袋进了厨房，把纸袋整个儿塞进了垃圾桶。

他靠在厨房的料理台上，又点燃一支烟，谁知第一口就呛住了，咳得停不了，只好把烟又掐熄了。他蹲下去把垃圾桶盖打开，一边咳嗽一边把纸袋拿出来，然后把那套揉得皱巴巴的睡衣和丝巾都掏出来。

他回到睡房去，仔细地把睡衣平摊在床上，把丝巾也一点点地抚平，指端仿佛还有温柔的触感，一如她的香气，总带了一点点甜。然后他又坐了一会儿，终于把自己的睡衣拿过来，套在那套小熊格子睡衣的外头，然后，把那条丝巾，放在两套衣服最里面，因为，那上面每一颗心，都是他亲手绘的。

他知道这举动毫无意义，但两件衣服套在一起，就像一个人怀抱着另一个人，亲昵无间。其实他几乎从来没有这样抱过她，因为她不喜欢。

两年前李安的《断背山》全球公映，国内看不到，正好他有事要去香港，于是她跟着过去，只为看这部电影。

看到Ennis抱着Jack的衣服时，她哭得稀里哗啦，他在一边给她递纸巾，只觉得好笑："至于么？"她擦了擦哭红的眼睛，狠狠瞪了他一眼："你懂什么？"

其实他真的懂得，即使她永远也不会相信他懂得。

因为不可以，只好用这样的方式，如此卑微，如此谨慎，就像两个人可以一直在一起，就像两个人真的在一起。如同最绝望的念想，其实是根本无法得偿的奢望。

今生今世，永不分离。

【终】